McGRAW-HILL

French

ANNOTATED TEACHER'S EDITION

rencontres

first part

Jo Helstrom

Conrad J. Schmitt

Webster Division
McGraw-Hill Book Company

NEW YORK • ST. LOUIS • SAN FRANCISCO • ATLANTA
AUCKLAND • BOGOTÁ • DALLAS • HAMBURG
JOHANNESBURG • LONDON • MADRID • MEXICO
MONTREAL • NEW DELHI • PANAMA • PARIS • SÃO PAULO
SINGAPORE • SYDNEY • TOKYO • TORONTO

Contents

Introduction

The front matter of the Teacher's Edition of the *McGraw-Hill French* program presents the following information:

- A description of *McGraw-Hill French,* including the philosophy of the program and features and benefits of the program

- The organization of *McGraw-Hill French,* which includes a description of the Teacher's Resource Kit, a description of the Student Text, and a description of all the ancillary materials

- How to use *McGraw-Hill French,* with teaching suggestions for each lesson part, sample lesson plans, and a detailed table of contents

- Reference lists for *McGraw-Hill French,* including French names, useful classroom words and expressions, and answers to all exercises and activities in the Student Text

In addition to the front matter, the blue overprint on each page of the Student Text provides the following information:

- Teaching suggestions for specific exercises and activities

- Suggestions for expanding specific exercises

- Material considered optional

- Material recorded on the Cassette Program

In each lesson it is also noted for teachers when to include activities from the Cassette program, when to assign specific exercises from the Workbook, and when to administer quizzes included in the Teacher's Resource Kit.

SECTION ONE Description of *McGraw-Hill French*

McGraw-Hill French—**Rencontres First** and **Second Parts** and **Connaissances**—is a program designed for both the learner and the teacher of French at the junior high and senior high school level in the United States. Each level of the program includes the following items:

- Student Text
- Teacher's Edition
- Teacher's Resource Kit
- Overhead Transparencies
- Cassette Program
- Student Tape Manual
- Workbook
- Test Package
- Computer Software Program

Philosophy of the program

The main objective of the *McGraw-Hill French* program is to enable students to attain a measurable degree of communicative competency and proficiency in each of the four language skills: listening, speaking, reading, and writing. Every effort has been made to present the language in an interesting and stimulating context so that the students' experience in acquiring a second language will be an enjoyable one.

Another equally important objective of the program is to allow French teachers flexibility so that they will feel comfortable with the material. Every effort has been made to present the material in such a way so that teachers can adapt the program to their own teaching styles and methodological preferences.

Features and benefits

- ### Flexibility

McGraw-Hill French can be used in large or small group instruction, with slower or more able students, using a variety of teaching techniques. This flexibility is made possible through the wide range of exercises and activities provided within the Student Text, in the Cassette Program, and in the Workbook; and the multiplicity of teacher's aids available in the Teacher's Resource Kit and the range of optional materials presented in the Student Text.

- ### Logical organization

STRUCTURE   The material is sequenced and programmed to make the acquisition of the structure of the language as logical as possible. Simpler concepts are presented before more complex ones. Regular patterns are presented before irregular ones. Irregularities are grouped together to make them appear as regular and as logical as possible. In keeping with our major objective of communicative competency, more frequently used (or needed) structures precede the introduction of less frequently used ones. Each lesson presents from one to three structure concepts so that students will feel comfortable with the amount of grammar they must grasp in each lesson.

4

VOCABULARY   A realistic amount of vocabulary is presented in each lesson—approximately ten to fifteen words per lesson. Words are "collocated" into logical communicative groupings. By this we mean that students are given the ten to fifteen words they would need in order to communicate effectively about a specific situation. The words presented in each lesson pertain to the particular communicative situation being developed in that lesson.

• Logical presentation

The **Vocabulaire** section of each lesson presents the new words that should become an active part of the students' vocabulary. A large percentage of the words are presented in isolation accompanied by a simple, concise drawing so that there is no confusion in meaning and so that students can easily study, learn, and review the new vocabulary on their own. These new words are immediately put into a situational context. In order to add variety, the new words are used in either sentences, short conversations, or short narratives—all of which hold to the particular situation of the lesson. The structure concepts to be taught in the lesson are also introduced in the **Vocabulaire** section. The exercises in the **Vocabulaire** encourage students to use and to have fun with their new language. All new material appears in bold type so that both students and teachers will know exactly which words are new.

• Grammar presentation

The approach used in the teaching of grammar permits teachers to select the teaching technique with which they feel most comfortable. The new structures are introduced either through contextualized sentences, conversations, narratives, or activities in the **Vocabulaire** section. Teachers who wish to use the discovery approach can have students explore the structure concept being introduced before they ever reach the grammatical explanation.

The grammatical explanations under **Structure** that follow the **Vocabulaire** are in English and are accompanied by many examples. Students can also come to their own conclusions if teachers wish to use an inductive approach. If teachers prefer to use a deductive approach, the grammar explanation can be given first. A variety of grammar exercises and activities follow the grammatical explanations. If teachers wish to have their students practice a grammatical point before going over the explanation, the additional supplementary oral drills provided in the Teacher's Resource Kit can be used.

This multiple approach to the presentation, learning, and teaching of grammatical concepts enables teachers to choose the method they feel best suits their needs and those of their students.

• Variety

McGraw-Hill French offers a wide range of exercises and activities that lead students to communicative competency. At the same time, the wide variety of exercises and activities that are provided minimize the possibility of boredom. Some examples of the types of exercises the students will encounter are: short conversations, short story narratives, answering questions, answering personal questions, role playing (a new friend just arrived from France; tell him/her how to get to your house to visit you), conducting or taking part in an interview, etc. Many activities in the texts are based on authentic cultural realia. As students look at the realia in their texts, they will answer questions and talk about such real-life situations as buying a plane ticket, filling out a hotel registration form, reading a menu, following a recipe, reading an advertisement, etc. Many activities in the text are also based on illustrations that depict only the subject matter that students can truly talk about. Using these illustrations, students can answer questions, make up stories, ask questions of one another, and role play by pretending they are the people in the illustration.

To make the exercises and activities more valuable as teaching/learning tools, almost every exercise in *McGraw-Hill French* progressively builds to tell a story. The eight or ten individual items of an exercise hold together to tell a new complete story. Rather than present a series of isolated, nonrelated sentences, each exercise in its totality adheres to a communicative situation or context.

• Culture

McGraw-Hill French is based on the premise that language cannot be separated from culture. French is the language of culture groups consisting of millions of people living on several continents, including millions of people in North America. In each lesson of *McGraw-Hill French*, students will learn up-to-date, authentic information about the French-speaking world. They will learn how people live, where they live, and what their customs and mores are. Most of the cultural information is found in the **Lecture culturelle** section of each lesson. In addition, cultural information is given in the **Activités** and **Galerie vivante** sections of each lesson of the Student Text and in the **Un peu plus: Vocabulaire et culture** section of the Workbook. After every four lessons there are additional *optional* cultural readings (**Lectures culturelles supplémentaires**) that teachers can either assign to groups, to individuals, or to the entire class, or that they can omit completely. All photographs in the program are authentic and contemporary and relate to the specific cultural theme of the lesson.

In order to be authentic in the presentation of culture, all areas of the French-speaking world are included. Stereotypes and broad generalizations have been avoided. Additional cultural information for each lesson is available in the Culture Booklet provided in the Teacher's Resource Kit. It is left up to the discretion of the teacher to decide how much additional information he/she wishes to give the students.

• Natural language

One of the most difficult tasks in developing materials for beginning language learners is to keep the language simple but, at the same time, natural and realistic. *McGraw-Hill French* has been able to bring these two worlds together through the inclusion of short sections within the text entitled **Expressions utiles.** For example, in Lesson 2 students learn how to respond in a naturally communicative or conversational way in French when they agree with something that someone has just said.

> **C'est vrai.**
> **D'accord.**
> **C'est l'essentiel.**

• Reinforcement and review

McGraw-Hill French has a cyclical review built into the material. Each word or structural point is reintroduced and reinforced many times throughout the exercises in subsequent lessons. In addition to this type of re-entry, there is a review lesson (**Révision**) after every four lessons. Also, at the beginning of *McGraw-Hill French* **Rencontres Second Part** there are three review lessons that cover all the important material presented in the *McGraw-Hill French* **Rencontres First Part.**

Since every exercise of the text tells a story, the situations presented in some

6

lessons are frequently reintroduced in a slightly different context in exercises of subsequent lessons.

• Productive and receptive skills

The major goal of *McGraw-Hill French* is to enable students to attain a measurable degree of communicative competency in the language. Accepting this as our major goal, we recognize the need to differentiate between productive and receptive skills, once referred to as active and passive skills. What students should be able to do or to produce is included in each lesson of Student Text. However, we have presented material that will train students not to fear any new or unfamiliar vocabulary and structure they may encounter. Students can receive more information passively than they can produce actively. Nonetheless, students need assistance in acquiring the receptive skills, just as they need assistance in acquiring the productive skills. Therefore, practice is needed in this area. Each lesson of the Cassette Program includes two parts. The first part (**Première partie**) of each lesson provides practice in the productive skills. The second part (**Deuxième partie**) includes real announcements, conversations, advertisements, etc., which use words or expressions that students have not yet learned to produce. Nonetheless, students should, from the viewpoint of communicative competency, be able to receive and understand at least the basic message from what they have just heard. This enables students to experience the realities of using and understanding a foreign language in a natural setting, within the classroom. Although students may not have understood every single word, they got the main idea!

The **Un peu plus: Vocabulaire et culture** section of the Workbook that accompanies the text enables students to read material that contains some words and structures they cannot produce actively. Nonetheless, they should be able to understand or receive the essence of the selection. Word studies are also included to help students guess the meanings of words based on some previous knowledge of the language. *McGraw-Hill French* considers receptive skill development an important aspect of language acquisition since communicative competency is the major goal.

• Youth-oriented

McGraw-Hill French deals specifically with topics of interest relevant to teenagers today. The young people the program presents are the youth of the French-speaking world. The situational topics of each lesson deal with themes and life-styles that young people can relate to. They learn about their peers in a French-speaking environment. However, it must be stated that to deal solely with youth-oriented topics in a secondary school language program would, in our estimation, be ultimately detrimental to most language learners. Most students, except the fortunate few, will reap the benefits of their language learning at a later age. *McGraw-Hill French* has addressed this problem. In one lesson students will learn to communicate about such adult topics as taking a plane trip. The vocabulary in the lesson deals with airline travel, but the situation or reason for the air travel focuses on a group of young people flying off to the slopes to ski. Thus, the interests of the young are included with the needs of adults. These needs are needs that our youngsters will experience tomorrow. Let's make their language study interesting to them today but still useful to them tomorrow. «**Bienvenus à bord!**»

SECTION TWO Organization of *McGraw-Hill French*

Teacher's Resource Kit

To assist teachers in adapting the material of *McGraw-Hill French* to their own teaching styles and to the needs of their individual classes, the following aids are provided in the Teacher's Resource Kit:

- A Teacher's Edition of the Workbook containing all the answers to the exercises and activities in the Student Workbook.
- A booklet with additional cultural information for each lesson of the student text.
- A booklet of optional supplementary oral drills for every structure point presented in the Student Text.
- Blackline masters, for easy duplication, containing a detailed explanation in English of any grammatical term used in the Student Text.
- The Tape Script for all the recorded material in the Cassette Program, including the answers to all the recorded activities.
- Blackline masters containing quizzes for every part of every lesson.
- A booklet with the answers to all the quizzes.
- Blackline masters containing a list of all the new words in each lesson accompanied by the English definitions.

Student Text

The Student Text of *McGraw-Hill French* **Rencontres First Part** is divided as follows:

Leçon préliminaire A
Leçon préliminaire B
Leçon préliminaire C
Leçon préliminaire D
Leçon préliminaire E
Leçon préliminaire F
Leçon préliminaire G
Leçon 1
Leçon 2
Leçon 3
Leçon 4
Révision
Lectures culturelles supplémentaires
Leçon 5
Leçon 6
Leçon 7
Leçon 8
Révision
Lectures culturelles supplémentaires

Leçon 9
Leçon 10
Leçon 11
Leçon 12
Révision
Lectures culturelles supplémentaires
Verb Charts
French-English Vocabulary
English-French Vocabulary
Index

McGraw-Hill French **Rencontres Second Part** begins with three review lessons covering all the important material presented in *McGraw-Hill French* **Rencontres First Part.** It is not necessary to complete or to teach the final unit of **Rencontres First Part** in order to make a smooth transition to **Rencontres Second Part.**

Leçons préliminaires

The seven preliminary lessons of *McGraw-Hill French* **Rencontres First Part** give students the opportunity to say those things beginners like to and want to say immediately. The topics covered are:

A   greetings
B   introductions
C   farewell expressions
D   asking questions
E   numbers
F   dates
G   telling time

The preliminary lessons include many activities that permit students to use these new expressions in realistic situations. No grammar is taught in the preliminary lessons. The emphasis is on useful expressions and on the use of cognates. Structures that will serve only to confuse students prior to learning anything about the structure of the language have been purposely avoided in these lessons.

Organization of a lesson

Each lesson of *McGraw-Hill French* is divided into the following parts:

- **Vocabulaire**
- **Structure**
- **Prononciation**
- **Expressions utiles**
- **Conversation**
- **Lecture culturelle**
- **Activités**
- **Galerie vivante**

VOCABULAIRE   The **Vocabulaire** section presents all the important new words of the lesson. Almost all words are first presented in isolation accompanied by a precise illustration that depicts the meaning of the word. This permits students to learn, study, and/or review the new words on their own.

The new words are immediately used in context to make them more meaningful. To add variety, the words may be used in sentences, definitions, short conversations, or narratives—all of which pertain to the communicative situation of the lesson. The new structure point of the lesson is introduced in these contextualized segments. The contextualized segments are also accompanied by illustrations or photographs to reinforce meaning.

All new words are highlighted in bold type so that both students and teachers will know exactly which words are new in each lesson.

The **Vocabulaire** section will sometimes contain a **Note,** explaining the formation of cognates and word derivations. The **Note** will also deal with false cognates when necessary.

Vocabulary exercises are interspersed throughout the **Vocabulaire** section. Students learn a few new words and are encouraged to put them to use immediately. Teachers do not have to wait until all the vocabulary has been presented before they assign or go over an exercise. The exercises also deal with the particular communicative situation of the lesson.

STRUCTURE   The **Structure** section immediately follows the vocabulary presentation and opens with a detailed grammatical explanation in English. The explanation is accompanied by many examples and charts to facilitate the students' learning of the grammatical concept.

The grammar exercises that follow the grammatical explanation are extremely varied to prevent boredom. Almost all exercises tell a story on their own. The story of the exercises may deal with the new communicative situation of the lesson, review the information learned in a previous lesson, or present a new and interesting cultural point.

The exercises in the **Structure** section are of the following types: answering questions, talking about yourself by answering personal questions, interviews, forming questions, making up statements, short conversations, discussions concerning the conversations, and short narratives. Each exercise, of course, deals only with the new structure or grammar point being taught. Some exercises are based on a visual cue such as an illustration, photograph, or cultural realia.

PRONONCIATION   The **Prononciation** section gives a brief explanation in English of the sound or sounds being studied. When appropriate or necessary, suggestions are given as to the correct position of the tongue or lips needed to pronounce each sound correctly.

Each sound is followed by a series of words to enable students to practice the new sound. Groups of words containing the sound or sounds are given in the **Pratique et dictée** section. Dictations are also provided in the Cassette Program.

EXPRESSIONS UTILES   The **Expressions utiles** section presents common, everyday expressions that are frequently used in natural speech. An example is **C'est chouette!,** or **C'est dommage ça!**

The placement of the **Expressions utiles** section varies from lesson to lesson. The expressions are introduced as needed to give a natural flavor to whatever aspect of the language is being learned. In all cases, students are given the opportunity to spice up their language by using these new natural and authentic expressions.

CONVERSATION   The **Conversation** section of each lesson reincorporates the vocabulary, structure, and useful expressions taught in the lesson and enables students to discuss the new situation they have learned in the particular lesson. Each conversation is followed by one or more communicative exercises that stimulate discussion.

LECTURE CULTURELLE   The **Lecture culturelle** section in each lesson is a short reading selection that takes the communicative situation of the lesson and puts it into a cultural setting. Most selections deal with everyday life situations in the French-speaking world. Some examples are: shopping customs, school life, afterschool activities, family celebrations, **la surprise-partie,** housing accommodations, leisure time activities, vacations, and transportation. Through these reading selections, students acquaint themselves with the culture of the people who speak the language they are learning.

The **Lecture culturelle** is followed by a series of exercises that encourage students to talk or to write about what they have just read. There are many different types of exercises included, such as answering questions, correcting false statements, completing statements, matching columns, and multiple-choice exercises.

ACTIVITÉS The **Activités** section of each lesson of *McGraw-Hill French* encourages and enables students to use on their own, but with necessary guidance, the core of all the language and information they have acquired to date. Every effort has been made to make these activities real and authentic. Students are encouraged to use the language in natural, real-life situations. Students prepare conversations and reports. They write postcards and letters, address envelopes, prepare their autobiography. Heavy use is made of interviews in which students can work in small groups and truly personalize the language. Much realia is included in the **Activités** section. Students look at plane tickets, theatre tickets, advertisements, magazine or newspaper articles—all of which are accompanied by activities that permit students to use the language they have learned in real-life settings. The use of realia as an integral part of the text frees teachers from the burden of having to find their own realia to liven up the lesson. Whenever appropriate, artwork and photographs have been included to assist students in using the new language on their own.

GALERIE VIVANTE Each lesson concludes with a **Galerie vivante** section. The magazine section includes photographs and realia that once again bring to life the cultural content of the lesson. They serve as the students' vicarious voyage into the real French-speaking world. To increase the enjoyment that students will get from these **Galerie vivante** sections, there are no "exercises" provided. Each photograph or piece of realia is accompanied by a small amount of information in French that students can easily read. The commentary purposely imbeds several questions that students can either think about or actually respond to.

RÉVISION After every four lessons there is a **Révision** unit that reviews all the material presented in the previous four lessons. There are three **Révision** units included within *Rencontres First Part.*

LECTURES CULTURELLES SUPPLÉMENTAIRES After every **Révision,** there are several optional reading selections that give an in-depth view of life-styles within specific areas of the French-speaking world. The optional reading selections contain only previously learned structures. Any new vocabulary is presented and footnoted. Vocabulary from the optional readings is never incorporated into the basic lessons without being completely retaught.

Description of the ancillary materials

Following is a description of each of the ancillary materials included in the *McGraw-Hill French* program.

Overhead Transparencies

A set of overhead transparencies—in color—is provided to assist teachers in presenting the new vocabulary of each lesson. A transparency is available for every new vocabulary item taught in the **Vocabulaire** section of each lesson. The overhead transparencies can also be used to introduce and reinforce grammatical concepts.

Cassette Program

The cassette program that accompanies *McGraw-Hill French* provides students with additional activities to improve both their productive and receptive aural/oral skills. Special features of the cassette program are:

- the use of native speakers to acquaint students with pronunciation differences.

- the use of sound effects with many of the activities to make them more lifelike and authentic.
- the use of songs to help students enjoy the language.

All material is recorded at a natural rate of speed. The Tape Script for all recorded material, along with the answers to all the activities, is provided in the Teacher's Resource Kit that accompanies the program.

TYPES OF RECORDED ACTIVITIES   The recorded activities for each lesson are divided into two parts—**Première partie** and **Deuxième partie.**
The **Première partie** includes the following types of activities:

Repeat   All vocabulary words presented in isolation in the **Vocabulaire** section are recorded and students are told to repeat each word after the model speaker. This activity assists students in developing good pronunciation habits.

Listen   Students listen to an uninterrupted, lively recording of the contextualized material in the **Vocabulaire** section. In some lessons, students also listen to a lively recording of the **Conversation,** complete with realistic sound effects.

Listen and repeat   Students listen to the sounds, words, and the sentences in **Pratique et dictée** from the **Prononciation** section and repeat after the model speaker.

Listen and answer   The types of activities under the *Listen and answer* category are quite varied. Some types of activities are: 1) students listen to a question and answer it; 2) students take part in an interview; 3) a speaker on the cassette instructs students as to what type of response they are to give to the particular stimulus; 4) the speaker gives the students a personal type of question and students respond with an open-ended answer. Most of the exercises in the *Listen and answer* category are different from those in the Student Text.

Listen and choose   The speaker gives the students an oral stimulus—a word, a sentence, a question, an extremely short conversation etc.—and students are given an activity to do in their Student Tape Manual. This may consist of writing a letter over an illustration, circling a response, checking A or B on their activity sheet. Most of the exercises in the *Listen and choose* category are also different from those that appear in the Student Text. At times, students listen to a somewhat longer passage in the form of a conversation or narrative. They are then given various types of exercises in their Tape Manual to determine if they understood the passage.

Discrimination   The speaker gives the students directions as to what they are to listen for. The speaker then gives an oral stimulus and students check the correct information on their activity sheet in the Student Tape Manual. These exercises train students to listen for grammatical cues such as singular/plural; masculine/feminine; present/past, etc.

Listen and write   This is a dictation. The speaker gives the students material from the **Prononciation** section and students are to write what they hear on their activity sheet in the Tape Manual. This activity consists of two parts: 1) known words given in isolation; 2) sentences using known words. The new words in isolation contain the particular sound being studied. Both students and teachers can then determine whether or not the students are able to give the correct printed representation of a known sound in an unfamiliar word.

Songs   Each unit contains a song that can be enjoyed and sung by the class. The words to the songs are printed in the Tape Script in the Teachers Resource Kit.

The **Deuxième partie** of the recorded material for each lesson is optional, but it introduces an aspect of language learning that is extremely important in the development of communicative competency. In this section, students hear announcements, conferences, lectures, conversations, advertisements, broadcasts, etc. Much of what they hear contains language they already know, but unlike the recorded material in the first part, students will hear some new words and some unfamiliar structures. These passages are intended to give students training in the development of receptive skills—since listening comprehension itself is a receptive skill. Although students may not understand every word they hear, they should be able to get the basic idea or the essence of what they just heard. A series of activities such as those described above accompany each passage in the **Deuxième partie.**

The complete Tape Script of the recorded program is included in the Teacher's Resource Kit. The script also includes the answers to all tape activities.

All activities to which students must respond orally are four phase: stimulus, pause for response, recording of the correct response, pause to make correction. The only exception to this is in the case of activities that have open-ended responses.

Workbook

The workbook that accompanies the *McGraw-Hill French* program contains a multitude of written exercises to supplement the material presented in the Student Text.

CONTENT OF THE WORKBOOK   To prevent boredom, a wide variety of exercises is provided in the Workbook. Examples are: 1) fill-in-the-blank; 2) answer a question; 3) give a synonym; 4) give an antonym; 5) match Column A with Column B; 6) multiple choice; 7) form a question; 8) complete a statement; 9) complete a narrative; 10) rewrite a paragraph changing the subject; 11) rewrite a paragraph changing the tense.

The Workbook also contains many exercises based on visual cues such as illustrations, realia, and photographs. These exercises lead students to self-expression such as 1) writing original sentences, 2) writing original questions, 3) writing original paragraphs.

In developing self-expression, students are also given postcards and letters to read. They are then told to respond to the postcard or letter.

Throughout the Workbook, the students are told to write their autobiography. After every several lessons, they are given instructions to add to their autobiography based on the content of the lessons they have just learned. Most exercises in the Workbook require students to work with the language on their own rather than to have them give fixed, mechanical responses. As in the Student Text, almost all exercises in the workbook tell a story so that upon completion of a given exercise, students can read it in its entirety to receive a complete situational narrative or dialogue. The exercise in its totality conveys a coherent message rather than being made up of a series of isolated sentences.

UN PEU PLUS: VOCABULAIRE ET CULTURE   Each lesson of the Workbook contains a section called **Un peu plus: vocabulaire et culture,** which gives students additional interesting cultural information based on the cultural theme of the lesson they have just learned. This section includes explanations and exercises that help students expand and enrich their vocabulary. Particular emphasis is placed on cognates and word development (making a noun from a verb). Students are also shown the similarities between the Romance languages. This will show them how learning French will assist them in understanding and acquiring another language.

Another objective of the **Un peu plus** section is to train students in the development of their receptive skills. Realia from newspapers and magazines are included. Although students cannnot understand every word, they are shown how they can get the main message from what they are reading. Exercises to help them do this accompany each piece of realia.

GAMES AND PUZZLES   Every lesson of the workbook contains a game or puzzle in French so that students can enjoy and have fun with their new language. The inclusion of games and puzzles rids the teachers of the burden of having to make up their own. Following are additional suggestions for some games that students may enjoy:

1. Bring six people to the front of the room. Divide the six into two teams of three. Call on another person to serve as master of ceremonies. The master of ceremonies either makes up a statement or reads one prepared by the teacher. The statement contains a blank to be filled in with any appropriate completion. (Example: **Les élèves descendent _____.**) If two members of the same team write the same answer, that team receives a point. (Example: If two members of the same team say **de l'autobus,** the team receives a point. If each member of the team, however, gives a different response, the team receives no points.) Give each team six to eight items, add up the score, and decide the winning team.

2. Give students a ditto sheet containing a series of simple drawings. Let them look at the drawings for two minutes. On a separate sheet of paper have them write as many items as they recall. The person who writes the most correct items wins.

3. After several lessons of the book have been completed, students can play **Qui suis-je?** Call one student to the front of the room or permit him or her to speak from his or her seat. The student gives a statement and calls on an individual to guess who he or she is. If the other person cannot guess, the original student gives another statement or clue and calls on another individual.

This game can be played in the reverse. One student decides who he or she is. Another student asks questions such as **Es-tu français?** and so forth. The original student answers *oui* or *non* until the questioner guesses who he or she is. Set a time limit of approximately 90 seconds.

4. Have a student give a brief description of a classmate. Other members of the class guess who is being described.

5. Quiz Game: Two teams of three students each come to the front of the room. The teacher gives the master of ceremonies a series of questions based on information learned in the text. The first student from either team who rings a bell is called upon to respond. Each correct answer is worth 5 points. If the student answers incorrectly, five points are deducted. The team receiving more points in 5 minutes wins.

6. The teacher may wish to obtain a copy of *Games for Second Language Learning* by Gertrude Nye Dorry, McGraw-Hill, 1966 (Code 0-07-017653-1) for additional suggestions for games that can be used in the classroom situation.

• **RÉVISION/SELF-TEST**   For each **Révision** unit (one after every four lessons), the workbook provides a **Self-Test** for students. Answers to the Self-Tests are provided at the end of the Workbook. After students correct their own tests, they are told which page or pages they should review in the Student Text if they have missed particular items on the Self-Test. The purpose of this activity is to help students prepare for the Unit Test that appears in the Test Package.

A Teacher's Edition of the Workbook containing answers to all the exercises appears in the Teacher's Resource Kit. If teachers prefer that students correct their own exercises, the Workbook answers can be easily duplicated and distributed to students.

• Test Package

In addition to the quizzes in the Teacher's Resource Kit, *McGraw-Hill French* offers a complete Testing Program. The Test Package consists of:

- A Reading and Writing test for each lesson of the Student Text.
- A Reading and Writing Unit Test to accompany each **Révision** unit (after every four lessons).
- A Listening Comprehension Unit Test for each **Révision.**

The Reading and Writing tests and the student answer sheets for the Listening Comprehension tests are provided on Blackline Masters for easy duplication in the test booklet. The Listening Comprehension tests are recorded on the cassette provided within the Test Package.

The exercises on the tests contain a variety of formats to account for all teaching/learning modalities. Exercises include: fill-in-the blank, completion, answer questions, multiple choice, matching columns, visual stimuli, and recorded stimuli.

Each test includes exercises that test vocabulary, structure, reading, and culture. The answers to the tests appear in the front of the Test Booklet.

Computer software

McGraw-Hill French offers two computer software programs. One program provides for reinforcement of vocabulary and grammar concepts and the other program includes a presentation of a series of simulations and games.

Program One gives practice in and immediate correction of vocabulary and grammar concepts taught throughout Level 1. This computer program can act as reinforcement of previously taught concepts as well as preparation and review for a test.

Program Two allows students to "play" with the language they have learned through an interesting variety of simulations, activities, and games. The rewards are built directly into the program so that students are encouraged to pursue each simulation and activity to its conclusion.

SECTION THREE Using *McGraw-Hill French*

Suggestions for teaching each lesson part

One of the major objectives of the *McGraw-Hill French* program is to enable teachers to adapt the material of the program to their own methodological philosophy, teaching styles, and students' needs. As a result, we offer a variety of suggestions for the teaching of each lesson part.

Vocabulaire

GENERAL TECHNIQUES   The **Vocabulaire** section always contains some words in isolation accompanied by an illustration or photograph that depicts the meaning of the new word. In addition, new words are used in contextualized sentences. These contextualized sentences appear in the following formats: 1) one to three sentences accompanying an illustration or photograph, 2) a short conversation, 3) a short narrative or paragraph. In addition to teaching the new vocabulary, these contextualized segments of sentences introduce, but do not teach, the new structure point of the lesson.

A series of color transparencies is available. These transparencies contain all the artwork necessary to teach the new vocabulary. They can easily be projected as large visuals in the classroom for those teachers who prefer to introduce the vocabulary orally with books closed. The transparencies contain no printed words.

All the vocabulary in each lesson is recorded on the Cassette Program. Students are instructed to repeat the isolated words after the model speaker. Students listen to a lively, uninterrupted recording of the contextualized segment but do not repeat.

A vocabulary list for each lesson appears in the Teacher's Resource Kit on blackline masters for easy duplication. These vocabulary lists are divided by parts of speech and contain the English translation of each word. There are varying opinions among foreign language teachers today concerning the use of vocabulary lists. Some teachers prefer to give them to students as soon as they present the new vocabulary. Others prefer to give them to students as they are completing the lesson for review purposes prior to a final test. Other teachers do not use such lists because they prefer that students learn vocabulary without reliance on an English translation. Teachers should feel free to use these lists based on their own preferences and based on the needs of their own students.

SPECIFIC TECHNIQUES   *Option 1*   Option 1 for the presentation of vocabulary probably best meets the needs of those teachers who consider the development of oral skills a prime objective.

- While students have their books closed, project the transparencies. Point to the item being taught and have the students repeat the word after you or the cassette several times. After you have presented several words in this manner, project the transparencies again and ask questions such as
  Est-ce que René donne une surprise-partie?
  Qu'est-ce que René donne?
  Est-ce que les amis chantent?
  Qu'est-ce qu'ils chantent? (Leçon 5)
- To teach the contextualized segments, project the transparency in the same way. Point to the part of the illustration that depicts the meaning of any new word in the sentence, be it an isolated sentence or a sentence from a conversation or

narrative. Immediately ask questions about the sentence. For example, the following sentence appears in **Leçon 5.**

René donne une surprise-partie pour l'anniversaire de Monique.

Questions to ask are:

Qu'est-ce que René donne?
Qui donne une surprise-partie?
Pour qui est-ce qu'il donne une surprise-partie?
Qui a un anniversaire?

• Dramatizations, in addition to the illustrations, can also help convey the meaning of many words such as **chanter, danser,** etc.
• After this basic presentation of the vocabulary, have students open their books and read the **Vocabulaire** section for additional reinforcement.
• Go over the exercises in the **Vocabulaire** section orally.
• Assign the exercises in the **Vocabulaire** section for homework. Also assign the vocabulary exercises in the Workbook. If the vocabulary section should take more than one day, assign only those exercises that pertain to the material you have presented.
• The following day, go over the exercises that were assigned for homework.
• Give the vocabulary list provided in the Teacher's Resource Kit after presenting the new vocabulary or as the lesson is being completed. If you prefer that your students not have the English translations before duplicating, you can cover the right-hand column containing the English definitions.

Option 2   Option 2 will meet the needs of those teachers who wish to teach the oral skills but consider reading and writing equally important.

• Project the transparencies and have students repeat each word once or twice after you or the cassette.
• Have the students repeat the contextualized sentences after you or the cassette as they look at the illustration.
• Open books and have students read the **Vocabulaire** section. Correct pronunciation errors as they are made.
• Go over the exercises in the **Vocabulaire** section.
• Assign the exercises of the **Vocabulaire** section for homework. Also assign the vocabulary exercises in the Workbook.
• The following day, go over the exercises that were assigned for homework.
• Give the vocabulary list provided in the Teacher's Resource Kit after presenting the new vocabulary or as the lesson is being completed. If you prefer that your students not have the English translations, before duplication you can cover the right-hand columns containing the English definitions.

Option 3   Option 3 will meet the needs of those teachers who consider the reading and writing skills of utmost importance.

• Have students open their books and read the vocabulary items as they look at the illustrations.
• Give students several minutes to look at the words and vocabulary exercises. Then go over the exercises.
• Give students the vocabulary list from the Teacher's Resource Kit. Have them study the list for homework and write the vocabulary exercises from the Student Text and the Workbook.
• Go over the exercises the following day.

EXPANSION ACTIVITIES   Teachers may use any one of the following activities from time to time. These activities can be done in conjunction with any of the options previously outlined.

- After the vocabulary has been presented, project the transparencies or have students open their books and make up as many original sentences as they can, using the new words. This can be done orally or in writing.
- Have students work in pairs or small groups. As they look at the illustrations in the book, have them make up as many questions as they can. They can direct their questions to their peers. It is often fun to make this a competitive activity. Individuals or teams can compete to make up the most questions in three minutes. This activity provides the students with an excellent opportunity to use interrogative words.
- Call on one student to read to the class one of the vocabulary exercises that tells a story. Then call on a more able student to retell the story in his/her own words.
- With slower groups you can have one student go to the front of the room. Have him/her think of one of the new words. Let classmates give the student the new words from the lesson until they guess the word the student in the front of the room has in mind. This is a very easy way to have the students recall the words they have just learned.

Structure

GENERAL TECHNIQUES   The **Structure** section of the lesson opens with a grammatical explanation. The grammatical explanation is always in English. Each grammatical explanation is accompanied by many examples. With verbs, complete paradigms are given. In the case of other grammar concepts such as object pronouns, many examples are given with noun vs. pronoun objects. Irregular patterns are grouped together to make them appear more regular. For example, **sortir, partir, dormir,** and **servir** are taught together in **Leçon 11.**

The structure or grammar exercises that follow the grammatical explanation are plateaued or graded to build from simple to more complex. In the case of verbs with an irregular form, for example, emphasis is placed on the irregular form, since it is the one students will most often confuse or forget. However, in all cases, students are given one or more exercises that force them to use all forms at random. The first few exercises that follow the grammatical explanation are considered learning exercises because they assist the students in grasping and internalizing the new grammar concept. These learning exercises are immediately followed by test exercises—exercises that make the students use all aspects of the grammatical point they have just learned. This format greatly assists teachers in meeting the needs of the various ability levels of students in their classes.

These days students have a rather limited grasp of grammatical terminology. We have attempted to make the grammatical explanations as succinct and as complete as possible. We have purposely avoided extremely technical grammatical or linguistic jargon that most students would not understand. Nonetheless, it is necessary to use certain basic grammatical terms. In the Teacher's Resource Kit, there are blackline masters that explain every grammatical term used in the *McGraw-Hill French* program. The terms are presented in the order in which they appear in the Student Text. If teachers have students who need additional help in this area, the blackline masters can be easily duplicated and distributed to students.

Some of the grammar exercises from the Student Text are recorded on the Cassette Program. Whenever an exercise is recorded, it is noted in the blue print annotations next to the particular exercise. Many other grammar activities are included in the Cassette Program. It is annotated throughout the Teacher's Edition when a specific recorded activity can be administered.

The exercises in the Workbook also parallel the order of presentation in the Student Text. The teacher annotations indicate when certain exercises from the Workbook can be assigned.

There exists among foreign language teachers a great deal of controversy concerning the amount of drill work that should be provided, particularly in the area of structure. Some teachers feel that drill has been overdone and others feel that there is never enough drill and practice. In order to meet the needs of all teachers in this area, we have provided in the Teacher's Resource Kit a series of supplementary oral drills for every grammar point presented and taught in the Student Text. Teachers can use these drills at their own discretion, depending upon the needs of their individual classes and their own teaching styles and preferences.

SPECIFIC TECHNIQUES FOR PRESENTING GRAMMAR RULES *Option 1*
Some teachers prefer the deductive approach to the teaching of grammar. When this is the preferred method, teachers can begin the **Structure** part of the lesson by presenting the grammatical rule to students or by having them read the rule in their books. After they have gone over the rule, have them read the examples in their books or write the examples on the chalkboard. Then proceed with the exercises that follow the grammatical explanation.

Option 2 Other teachers prefer the inductive approach to the teaching of grammar. If this is the case, begin the **Structure** part of the lesson by writing the examples that accompany the rule on the chalkboard or by having students read them in their books. Let us take, for example, the agreement of adjectives in the plural. The examples the students have in their books (**Leçon 3**) are:

Les deux filles sont américaines.
Les garçons aussi sont américains.
Les deux filles sont très sympathiques.
Les garçons aussi sont très sympathiques.
Les deux garçons français sont très enthousiastes pour les sports.
Alain et Nathalie sont américains.

In order to teach this concept inductively, teachers can ask students to do or answer the following:

- Have students find the adjective in each sentence.
- Ask: What do we call a word that modifies a noun or pronoun?
- Have students notice the different forms of the adjective in the first two sentences.
- Have students notice the identical forms of the adjective in the second pair of sentences.
- Ask: In the first pair, why do the forms differ? What are the singular forms of **américaines** and **américains?**
- Ask: In the second form, why are the forms the same? What is the singular form of sympathiques?
- Ask: In the fifth sentence, what is the singular form of **français?**
- Ask: In the last sentence, what is the gender of **américains?** Why?

By answering these questions, students have guessed, on their own, the rule from the examples. To further reinforce the rule, have students read the grammatical explanation and then continue with the grammar exercises that follow. Suggestions for the inductive presentation of the grammatical points are given in the Teacher's Edition annotations.

Option 3 Some teachers prefer to have students do some oral drill work before they learn the grammatical rule. In this case, teachers can do all or select some of the supplementary oral drills in the Teacher's Resource Kit before presenting the grammatical explanation. Upon completion of the drill work, teachers can present the explanation inductively or deductively as outlined in Options 1 and 2. Then continue with the grammar exercises in the Student Text.

SPECIFIC TECHNIQUES FOR TEACHING GRAMMAR EXERCISES   In the development of the *McGraw-Hill French* series, we have purposely provided a wide variety of exercises in the grammar section so that students can proceed from one exercise to another without becoming bored. The types of exercises they will encounter are: short conversations, answering questions, conducting or taking part in an interview, making up questions, describing an illustration, filling in the blanks, multiple choice, completing a conversation, completing a narrative, etc. In going over the exercises with the students, teachers may want to conduct the exercises themselves or they may want students to work in pairs. The structure exercises can be gone over in class before they are assigned for homework or they may be assigned before they are gone over. Many teachers may want to vary their approach.

All the exercises in the Student Text can be done with books open. Many of the exercises—question-answer, interview, and transformation—can also be done with books closed.

Expansion exercises
• *Question exercises*   The answers to the question exercises that have a title (which is almost every exercise in the program) build to tell a complete story. Once you have gone over the exercises by calling on several students (Student 1, numbers 1,2,3; Student 2 numbers 4,5,6 etc.), you can call on one student to give the answers to the entire exercise. Now the entire class has heard an uninterrupted story. Students can ask one another questions about the story, give an oral synopsis of the story in their own words, or write a short paragraph about the story.
• *Personal questions or interview exercises*   Students can easily work in pairs or teachers can call a moderator to the front of the room to ask questions of various class members. Two students can come to the front of the room and the exercise can be performed—one student takes the role of the interviewer and the other takes the role of the interviewee.
• *Completion of a conversation*   See Exercise 8, page 81 as an example. After students complete the exercise, they can be given time either in class or as an outside assignment to prepare a skit for the class based on the conversation.

Prononciation

SPECIFIC TECHNIQUES   Have the students read on their own or go over with them the short explanation in the book concerning the particular sound that is being studied. For the more difficult sounds such as **r, u, en, in, un,** etc. teachers may wish to demonstrate the tongue and lip positions. Have students repeat the words after you or the model speaker on the cassette. Then let the students have some fun with the **Pratique et dictée.** Inform students that they will be responsible for spelling each word correctly for a dictation.

Conversation

SPECIFIC TECHNIQUES   Teachers may wish to vary the presentation of the **Conversation** from one lesson to another. In some lessons, the **Conversation** can be presented thoroughly and in other lessons it may be presented quickly as a reading exercise. Some possible options are:

- Have the class repeat the conversation after you twice. Then have students work in pairs and present the conversation to the class. The conversation does not have to be memorized. If students change it a bit, all the better.
- Have students read the conversation several times on their own. Then have them work in pairs and read the conversation as a skit. Try to encourage them to be animated and to use proper intonation. This is a very important aspect of the **Conversation** part of the lesson.
- Rather than read the conversation, students can work in pairs, having one make up as many questions as possible related to the topic of the **Conversation.** The other students can answer his/her questions.
- Once students can complete the exercise(s) that accompany the **Conversation** with relative ease, they know the **Conversation** sufficiently well without having to memorize it.
- Students can tell or write a synopsis of the **Conversation.**

Lecture culturelle

SPECIFIC TECHNIQUES   *Option 1*   Just as the presentation of the **Conversation** can vary from lesson to lesson, the same is true of the **Lectures culturelles.** In some lessons the teachers may want the students to go over the reading selection very thoroughly. In this case all or any combination of the following techniques can be used.

- Give students a brief synopsis of the story in French.
- Ask questions about the brief synopsis.
- Have students open books. Have students repeat several sentences after you or call on individuals to read.
- Ask questions about what was just read.
- Have students read the story at home and write the answers to the exercises that accompany the **Lecture culturelle.**
- Go over the exercises in class the next day.
- Call on a student to give a review of the story in his/her own words. If necessary, guide students to make up an oral review. Ask five or six questions, the answers to which review the salient points of the reading selection.
- After the oral review, the more able students can write a synopsis of the **Lecture culturelle** in their own words.

It may take only one class period to present the **Lecture** in the early lessons. In later lessons, teachers may wish to spend two days on those reading selections they want students to know thoroughly.

Option 2   With those **Lectures culturelles** that teachers wish to present less thoroughly, the following techniques may be used:

- Call on an individual to read a paragraph.
- Ask questions about the paragraph read.
- Assign the **Lecture culturelle** to be read at home. Have students write the exercises that accompany the **Lecture.**
- Go over the exercises the following day.

Option 3   With some reading selections, teachers may wish to merely assign them to be read at home and then go over the exercises the following day. This is possible since the only new material in the **Lectures culturelles** consist of a few new vocabulary items that are always footnoted.

Activités

SPECIFIC TECHNIQUES The **Activités** section presents activities that assist students in working with the language on their own. All the activities are optional. In some cases, teachers may want the whole class to do all the activities. In other cases, teachers can decide which activities the whole class will do. Another possibility is to break the class into groups and have each group work on a different activity.

Galerie vivante

SPECIFIC TECHNIQUES The purpose of the **Galerie vivante** section is to permit students to look at the authentic photographs and realia from the French-speaking world and acquaint them with the many areas that speak the language they are learning. As already stated, the **Galerie vivante** section contains no exercises. The purpose is for students to enjoy the material as if they were browsing through the pages of a real magazine. Items the students can think about are imbedded in the commentary that accompanies the photographs or realia. Teachers can either have students read the material in class or students can go over the material on their own.

Lectures culturelles supplémentaires

The optional cultural reading selections give students an in-depth knowledge of many areas of the French-speaking world. Teachers can omit any or all of these selections or they may choose certain selections that they would like the whole class to read. The same suggestions given for the **Lecture culturelle** of each lesson can be followed. Teachers may also assign the reading selections to different groups. Students can read the selection outside of class and prepare a report for those students who did not read that particular selection. This activity is very beneficial for slower students. Although they may not read the selection, they learn the material by listening to what their peers say about it.

The **Lectures culturelles supplémentaires** and the exercises that accompany them can also be done by students on a voluntary basis for extra credit.

Teaching the preliminary lessons

The first day of class, teachers may wish to give students a pep-talk concerning the importance of the language they have chosen to study. Some suggested activities are:

- Show students a map (the maps in the front matter of the Student Text can be used) to give them an idea of the extent of the French-speaking world.
- Have students discuss the areas within North America in which there is a high percentage of French speakers.
- Go over place names such as Baton Rouge, Terre Haute, Des Moines, Vermont that are of French origin.
- Explain to students the possibility of using French in numerous careers such as: diplomacy, teaching, economics, banking, import/export, tourism, translating.
- The first day teachers will also want to give each student a French name. In the cases of students with names such as Kevin and Erica, teachers may want to give them a French name.

The preliminary lessons are designed to give students useful, everyday expressions that they can use immediately. Each lesson is designed to take one day. With the lesson on numbers (**Leçon préliminaire E**), teachers may wish to concentrate on the numbers 1 through 50 first and continue to reinforce the remainder of the numbers throughout the first two months of instruction.

The **Leçons préliminaires** present students with easily learned expressions such as **Salut, Bonjour, Ça va?, Au revoir,** etc. but do not confuse the students by expecting them to make structural changes such as the manipulation of verb endings. Formal grammar begins with **Leçon 1.** No grammar is taught in the **Leçons préliminaires.**

Using the ancillary materials

The ancillary materials are described in Section Two of this teacher's insert. All ancillaries are supplementary to the Student Text. Any or all parts of the ancillaries can be used at the discretion of the teachers.

Overhead Transparencies

Purpose   To present new vocabulary.

The overhead transparencies can be used for the initial presentation of new vocabulary in each lesson. The overhead transparencies can also be reprojected to review vocabulary from previous lessons.

With more able groups, teachers can show the transparencies from previous lessons and have students make up original sentences using a particular word. These sentences can be given orally or written.

Cassette Program

Purpose   To reinforce productive and receptive oral skills.

The cassette program contains activities for each lesson part. It is indicated in the annotations of this Teacher's Edition when to use each cassette or recorded activity. The Student Tape Manual accompanies the cassette program.

Workbook

Purpose   To reinforce productive and receptive reading and writing skills.

The exercises in the Workbook are presented in the same order as the presentation of the material in the Student Text. It is indicated in the annotations when each exercise of the Workbook can be assigned. The Workbook contains exercises for the **Vocabulaire, Structure** and **Lecture culturelle** section of each lesson in addition to the **Un peu plus: Vocabulaire et culture** section. The Workbook also contains a Self-Test for the students. The Self-Tests appear after each **Révision** (after every four lessons).

Tests

Purpose   To test the acquisition of concepts and content in each of the four language skills.

The Lesson Tests can be administered upon the completion of each lesson. The Reading-Writing and Listening Comprehension unit tests can be administered upon the completion of each **Révision** unit (after every four lessons).

In addition to the testing program, there are quizzes for each lesson provided in the Teacher's Resource Kit.

Sample lesson plans

McGraw-Hill French **Rencontres First Part** has been developed so that it may be completed in one school year. However, it is up to the individual teacher to decide how many lessons will be covered. Although completion of the book by the end of the year is recommended, it is not necessary. Most of the important structures of the First Part are reviewed in a different context in the three review lessons of the Second Part.

The establishment of lesson plans helps the teacher visualize how a lesson can be presented. However, by emphasizing certain aspects of the program and deemphasizing others, the teacher can change the focus and the approach of a lesson to meet students' needs and to suit his/her own teaching styles and techniques. Sample lesson plans for Lessons 2 and 7 are provided below. They include some of the suggestions and techniques that were described in this teacher's insert.

Leçon 2	
Day 1	Present **Vocabulaire,** pages 30–31 Review cognates, page 31 Go over vocabulary exercises 1 and 2, page 31
Day 2	Review **Vocabulaire** and **Note** on cognates, pages 30–31 Review vocabulary exercises 1 and 2, page 31 Go over vocabulary exercise 3, page 31
Day 3	Review **Vocabulaire,** pages 30–31 Present the verb **être** in the singular, page 32 Go over structure exercises 1–4, page 32
Day 4	Review **être** in the singular Go over structure exercises 5 and 6, page 33
Day 5	Present the negation **ne . . . pas,** pages 33–34 Go over structure exercises 7 and 8, page 34
Day 6 (optional)	Review **Vocabulaire** Review the verb **être** in the singular Review the negation **ne . . . pas**
Day 7	Present the forms of interrogation, pages 34–35 Go over structure exercises 9 and 10, page 35
Day 8	Review the forms of interrogation Present adjectives with only one ending, page 35 Go over structure exercise 11, page 35
Day 9	Go over **Prononciation,** page 36 Do **Pratique et dictée,** page 36 Go over **Expressions utiles,** page 36
Day 10	Review **Expressions utiles,** page 36 Present **Conversation,** pages 36–37 Go over exercise, page 37
Day 11	Review lesson in general

Leçon 2—continued	
Day 12 (optional)	Review lesson in general Do as much of the **Activités** and **Galerie vivante** section as you wish

Leçon 7	
Day 1	Present **Vocabulaire,** pages 90–91 Go over vocabulary exercises 1 and 2, page 91
Day 2	Review **Vocabulaire** Review vocabulary exercises 1 and 2, page 91 Go over vocabulary exercise 3, page 91
Day 3	Present the verb **avoir,** page 92 Go over structure exercises 1–4, pages 92–93
Day 4	Review the verb **avoir** Review structure exercises 1–4, pages 92–93 Go over structure exercises 5–7, page 93
Day 5	Present the indefinite article, page 94 Go over structure exercises 8–11, pages 94–95
Day 6 (optional)	Review **Vocabulaire** Review the verb **avoir** Review the indefinite article
Day 7	Present **il y a,** page 95 Go over structure exercise 12, page 96
Day 8	Review **il y a,** page 95 Go over **Prononciation,** page 97
Day 9	Present **Conversation,** page 97 Review **Prononciation** and **Conversation**
Day 10	Present **Lecture culturelle,** page 98 Go over questions concerning **Lecture,** page 99
Day 11	Review **Lecture Culturelle** Review lesson in general
Day 12 (optional)	Review lesson in general Do as much of the **Activités** and **Galerie vivante** section as you wish

Detailed listing of contents

The following detailed table of contents for each lesson is included to enable teachers to determine at a glance the exact material they will be covering in each lesson of *McGraw-Hill French* **Rencontres First part.**

The following abbreviations are used in this listing: **V = Vocabulaire,
S = Structure, C = Conversation, LC = Lecture culturelle.**

Correlation: Student Text with ancillary materials

This section contains a listing of the activities in the Cassette Program, the exercises in the Workbook, and the quizzes in the Teacher's Resource Kit that can be used with each lesson part of *McGraw-Hill French* **Rencontres First Part.** You will find these charts useful in preparing lesson plans or additional tests and study guides for your students. However, note that all this information is also provided in the blue overprint throughout each lesson of this Teacher's Edition. Below we have listed the lesson part of the Student Text and cross referenced each part to the related exercises in the Tapescript, Workbook, and Quizzes. For those teachers who wish to do all the activities and exercises by lesson section, these charts provide a quick and easy reference check.

Note that in the list, **2e part.** stands for the **Deuxième partie** of the Tapescript.

	Tapescript *Activities*	*Workbook* *Exercises*	*Quizzes*
Leçon 1			
• Vocabulary	1–9	A–D	1
• Structure	10–13	E–J	2–4
• Pronunciation	14–15		
• Expansion	2e part.	Un peu plus	
Leçon 2			
• Vocabulary	1–6	A–D	
• Structure	7–14	E–K	1–3
• Pronunciation	15–16		
• Conversation	17–18	L	
• Expansion	2e part.	Un peu plus	

	Tapescript Activities	Workbook Exercises	Quizzes
Leçon 3			
• Vocabulary	1–12	A–D	1
• Structure	13–15	E–I	2–3
• Pronunciation	16–17		
• Reading	18–19	J	
• Expansion	**2ᵉ part.**	**Un peu plus**	
Leçon 4			
• Vocabulary	1–4	A–C	
• Structure	5–11	D–G	1–2
• Pronunciation	12–13		
• Reading	14–16	H	
• Expansion	**2ᵉ part.**	**Un peu plus**	
Révision		Self-Test	
Leçon 5			
• Vocabulary	1–5	A–C	1
• Structure	6–19	D–K	2–3
• Pronunciation	20–21		
• Conversation	22–23	L	
• Expansion	**2ᵉ part.**	**Un peu plus**	
Leçon 6			
• Vocabulary	1–2	A	1
• Structure	3–11	B–K	2–4
• Pronunciation	12–13		
• Conversation	14–15		
• Reading	16–17	L	
• Expansion	**2ᵉ part.**	**Un peu plus**	
Leçon 7			
• Vocabulary	1–6	A–C	1
• Structure	7–15	D–J	2–3
• Pronunciation	16–17		
• Conversation			
• Reading	18		
• Expansion	**2ᵉ part.**	**Un peu plus**	
Leçon 8			
• Vocabulary	1–9	A–E	1
• Structure	10–18	F–H	2–3
• Pronunciation	19–20		
• Conversation	21–22		
• Reading		I	
• Expansion	**2ᵉ part.**	**Un peu plus**	
Révision		Self-Test	
Leçon 9			
• Vocabulary	1–5	A–B	1
• Structure	6–15	C–H	2–3
• Pronunciation	16–18		
• Conversation	19–20		

	Tapescript Activities	Workbook Activities	Quizzes
• Reading		I	
• Expansion	**2ᵉ part.**		
Leçon 10			
• Vocabulary	1–9	A–C	1
• Structure	10–16	D–I	2–3
• Pronunciation	17–18		
• Reading	19–21		
• Expansion	**2ᵉ part.**	**Un peu plus**	
Leçon 11			
• Vocabulary	1–2	A–B	1
• Structure	3–8	C–H	2–3
• Pronunciation	9–10		
• Conversation	12–13		
• Reading		I	
• Expansion	**2ᵉ part.**	**Un peu plus**	
Leçon 12			
• Vocabulary	1–8	A–B	1
• Structure	9–11	C–G	2–3
• Pronunciation	12–13		
• Conversation	14–15		
• Reading	16–17	H–I	
• Expansion	**2ᵉ part.**	**Un peu plus**	
Révision		Self-Test	

SECTION FOUR Reference lists for *McGraw-Hill French Rencontres First Part*

The following reference lists are included to give teachers a general idea or overview of the vocabulary topics, structure items, pronunciation areas, and cultural content that are presented in the Student Text.

Vocabulary topics

Préliminaire A	Greetings, salutations, and people's names
Préliminaire B	Introductions
Préliminaire C	Farewell expressions
Préliminaire D	Asking questions
Préliminaire E	Numbers, counting, telephone numbers
Préliminaire F	Giving dates
Préliminaire G	Telling time
Leçon 1	Words to describe French and American students
Leçon 2	Words and expressions to describe oneself
Leçon 3	Words to describe yourself and others
Leçon 4	Americans studying French at school
Leçon 5	Party activities
Leçon 6	Going to a restaurant with a friend
Leçon 7	Housing and family relationships
Leçon 8	Shops and shopping for food
Leçon 9	Airline travel
Leçon 10	Ski resort and winter weather
Leçon 11	Train travel
Leçon 12	The seaside and beach activities

Structure items

Leçon 1	Definite articles—singular
	Indefinite articles—singular
	Agreement of adjectives—singular
	Position of adjectives
Leçon 2	Present tense of **être**—singular
	The negation **ne... pas**
	Forms of the interrogative
	Adjectives with only one ending
Leçon 3	Nouns and pronouns in the plural
	Agreement of adjectives—plural
Leçon 4	Present tense of **être**—all forms
	Tu and **vous**
Leçon 5	Present tense of regular **-er** verbs
	Imperative of **-er** verbs

Structure items—*continued*

Pronunciation areas

Leçon 1	Silent letters
Leçon 2	The letters **a, e, i, u**
Leçon 3	The sounds **an, on, un**
Leçon 4	The sounds **in/ain** and **en/em**
Leçon 5	The letter **r**
Leçon 6	The letter **c**
Leçon 7	Liaison with **s**; accent and intonation
Leçon 8	Open and closed **o**
Leçon 9	The sound **é**
Leçon 10	The letters **j, ch, qu**
Leçon 11	The letters **ou** and **u**
Leçon 12	Liaison with **n**

Cultural themes

Leçon 1	A French student and an American student
Leçon 2	Students discussing a mutual friend
Leçon 3	Two French students at a lycée in Paris
Leçon 4	A French student's summer vacation in Nice
Leçon 5	A boy from Martinique
Leçon 6	French restaurants and the importance of cuisine
Leçon 7	Description of a Parisian family's apartment; going out to a restaurant for dinner
Leçon 8	Food shopping at specialized stores in France vs. shopping at the supermarket
LCS*	Difference between American surprise parties and the French "surprise-partie"
LCS	A working family with three children
LCS	Description of the tropical island of Martinique
Leçon 9	A class of students checking in at an airport for a ski trip to Montreal
Leçon 10	Skiing at Mount Sainte-Anne, Quebec
Leçon 11	Taking the overnight train from Paris to Marseille
Leçon 12	Summer vacation in France at the beach
LCS	René with his class skiing in the French Alps
LCS	Description of Provence and the Côte d'Azur and history of the region

*LCS = Lecture culturelle supplémentaire

Common French names

For your reference, below is a list of the most frequently used names in French. You may wish to use these lists as a quick and easy reference on the first day of class when you assign each student in class a French name.

Boys' names

Alain	François	Jean-Michel	Paul
Albert	Frédéric	Jean-Paul	Philippe
André	Geoffroy	Jean-Philippe	Pierre
Armand	Georges	Jean-Pierre	Raoul
Arnaud	Gérard	Jérôme	Raphaël
Bernard	Gilbert	Joël	Raymond
César	Gilles	Joseph	Régis
Charles	Grégoire	Laurent	René
Christian	Guillaume	Léon	Richard
Christophe	Guy	Louis	Robert
Claude	Henri	Luc	Roger
Daniel	Hugues	Marc	Roland
David	Jacques	Marcel	Samuel
Denis	Jean	Marius	Sébastien
Dominique	Jean-Claude	Matthieu	Serge
Édouard	Jean-François	Maurice	Simon
Étienne	Jean-Jacques	Michel	Thomas
Éric	Jean-Louis	Nicolas	Tristan
Eugène	Jean-Luc	Olivier	Vincent
Fabrice	Jean-Marc	Patrick	Yves

Girls' names

Agnès	Denise	Laure	Monique
Alice	Diane	Liliane	Nathalie
Aline	Dominique	Lise	Nicole
Andrée	Éléonore	Lisette	Nicolette
Anne	Élisabeth	Louise	Noëlle
Anne-Marie	Emmanuelle	Lucie	Pascale
Annette	Émilie	Marcelle	Patricia
Anny	Ève	Marguerite	Paulette
Aurore	Évelyne	Marianne	Pauline
Barbara	Francine	Marie	Rachel
Béatrice	Françoise	Marie-Anne	Régine
Bernadette	Gabrielle	Marie-France	Renée
Camille	Gaby	Marie-Hélène	Rose
Caroline	Geneviève	Mariel	Sabine
Catherine	Géraldine	Marie-Laure	Sophie
Cécile	Hélène	Marie-Louise	Stéphanie
Chantal	Irène	Marie-Thérèse	Suzanne
Charlotte	Jacqueline	Marthe	Sylvie
Christine	Janine	Martine	Thérèse
Claire	Jeanne	Maxine	Véronique
Claudine	Joséphine	Mélanie	Vicky
Colette	Josette	Michèle	Virginie
Delphine	Judith	Mireille	Viviane

Useful classroom words and expressions

Below is a list of the most frequently used words and expressions needed in conducting a French class.

Words

Le papier	paper
La feuille de papier	sheet of paper
Le cahier; le bloc	notebook
Le cahier d'exercices	workbook
Le stylo	pen
Le (stylo)bille	ballpoint pen
Le crayon	pencil
La craie	chalk
Le tableau noir	blackboard
La gomme	eraser
La corbeille	waste basket
Le pupitre	desk
Le rang	row
La chaise	chair
L'écran (m)	screen
Le projecteur	projector
La cassette	cassette
Le livre	book
La règle	ruler

Expressions (commands)

Both the singular and the plural command forms are provided.

Viens.	Venez.	*Come.*
Va.	Allez.	*Go.*
Entre.	Entrez.	*Enter.*
Sors.	Sortez.	*Leave.*
Attends.	Attendez.	*Wait.*
Mets.	Mettez.	*Put.*
Donne-moi.	Donnez-moi.	*Give me.*
Dis-moi.	Dites-moi.	*Tell me.*
Apporte-moi.	Apportez-moi.	*Bring me.*
Répète.	Répétez.	*Repeat.*
Pratique.	Pratiquez.	*Practice.*
Étudie.	Étudiez.	*Study.*
Réponds.	Répondez.	*Answer.*
Apprends.	Apprenez.	*Learn.*
Choisis.	Choisissez.	*Choose.*
Prépare.	Préparez.	*Prepare.*
Regarde.	Regardez.	*Look at.*
Décris.	Décrivez.	*Describe.*
Commence.	Commencez.	*Begin.*
Prononce.	Prononcez.	*Pronounce.*
Écoute.	Écoutez.	*Listen.*
Parle.	Parlez.	*Speak.*
Lis.	Lisez.	*Read.*
Écris.	Écrivez.	*Write.*
Demande.	Demandez.	*Ask.*
Suis le modèle.	Suivez le modèle.	*Follow the model.*
Joue le rôle de....	Jouez le rôle de...	*Take the part of . . .*
Prends.	Prenez.	*Take.*
Ouvre.	Ouvrez.	*Open.*

Ferme.	Fermez.	*Close.*
Tourne la page.	Tournez la page.	*Turn the page.*
Efface.	Effacez.	*Erase.*
Continue.	Continuez.	*Continue.*
Assieds-toi.	Asseyez-vous.	*Sit down.*
Lève-toi.	Levez-vous.	*Get up.*
Lève la main.	Levez la main.	*Raise your hand.*
Tais-toi.	Taisez-vous.	*Be quiet.*
Fais attention.	Faites attention.	*Pay attention.*
Attention.		*Attention.*
Attention, s'il vous plaît.		*Your attention, please.*
Silence.		*Quiet.*
Fais attention.	Faites attention.	*Careful.*
Encore.		*Again.*
Encore une fois.		*Once again.*
Un à un.		*One at a time.*
Tous ensemble.		*All together.*
À haute voix.		*Out loud.*
Plus haut, s'il vous plaît.		*Louder, please.*
En français.		*In French.*
En anglais.		*In English.*
Pour demain.		*For tomorrow.*
Comprends-tu?	Comprenez-vous?	*Do you understand?*
Y a-t-il des questions?		*Are there any questions?*
Tu m'entends?	Vous m'entendez?	*Can you hear me?*

Answer Key for *McGraw-Hill French* Rencontres *First Part*

For your convenience, answers keys are provided below for all the exercises that appear in the Student Text. Ambiguity of response has, as much as possible, been avoided in the exercises but individual classroom procedures do give rise to the possibility of acceptable alternate answers.
In these cases, we have provided one response but have also indicated that "answers will vary" in some exercises. The teacher is free, of course, to decide if an alternate response is or is not acceptable.

Leçon 1

Exercice 1 *(page 20)*
1. Oui, Marie-France est française.
2. Oui, elle est brune.
3. Oui, elle est élève.
4. Oui, elle est intelligente.
5. Oui, elle est grande.

Exercice 2 *(page 20)*
1. Marie-France est française.
2. Marie-France est brune.
3. Marie-France est élève.
4. Marie-France est intelligente.

Exercice 3 *(page 21)*
1. Oui, Alain Chambers est américain.
2. Oui, il est blond.
3. Oui, il est élève.
4. Oui, il est intelligent.
5. Oui, il est élève dans une école américaine.

Exercice 4 *(page 21)*
1. Alain Chambers est américain.
2. Alain est blond.
3. Alain est élève.
4. Alain est intelligent.

Exercice 1 *(page 22)*
1. Le
2. La
3. Le; la
4. La; le
5. L'
6. L'
7. Le
8. L'

Exercice 2 *(page 23)*
1. un
2. une
3. un; une
4. un
5. un
6. une
7. une

Exercice 4 *(page 24)*
1. Elle est française.
2. Elle est brune.
3. Elle est grande.
4. Elle est élève dans un lycée.

Exercice 5 *(page 24)*
1. française
2. américain
3. intelligente
4. brune
5. intelligent
6. blond
7. grande; grand

Exercice 6 *(page 24)*
1. Le garçon brun est américain.
2. La fille brune est française.
3. Le lycée Duhamel est un lycée français à Paris.
4. L'école William Howard Taft est une école américaine à Chicago.

Exercice *(page 26)*
1. a.
2. b.
3. c.
4. b.
5. b.
6. a.

Activité 1 *(page 27)*
Jean-Claude est français. Il est brun. Il est élève dans un lycée à Paris.

Activité 2 *(page 27)*
Debora Andrews est américaine. Elle est brune. Elle est élève dans une école à Miami.

Leçon 2

Exercice 1 *(page 31)*
1. Oui, Nicole est française.
2. Oui, elle est de Paris.
3. Oui, elle est une amie de Marie-France.
4. Oui, elle est sympathique.
5. Oui, elle est sincère aussi.

Exercice 2 *(page 31)*
1. intelligente
2. intéressante
3. sincère
4. fantastique
5. populaire

Exercice 3 *(page 32)*
1. Non, je ne suis pas français(e).
2. Non, je ne suis pas élève dans un lycée français.
3. Non, je ne suis pas de Paris.
4. Non, je ne suis pas un(e) ami(e) de Victor Hugo.

Exercice 4 *(page 32)*
1. Jean-Claude, es-tu français?
2. Jean-Claude, es-tu blond?
3. Jean-Claude, es-tu élève?

4. Jean-Claude, es-tu de Lyon?
5. Jean-Claude, es-tu élève dans un lycée à Lyon?

Exercice 5 *(page 33)*
1. Ginette, es-tu américaine?
2. Ginette, es-tu française?
3. Ginette, es-tu élève?
4. Ginette, es-tu de Nice?
5. Ginette, es-tu une amie de Marie-France?

Exercice 6 *(page 33)*

1. suis	5. est	9. es
2. suis	6. est	10. Es
3. suis	7. est	11. es
4. est; suis	8. suis	

Exercice 7 *(page 34)*
1. Marie-France n'est pas américaine.
2. Elle n'est pas élève dans une école américaine à New York.
3. Elle n'est pas de New York.
4. Moi, je ne suis pas français(e).
5. Je ne suis pas élève dans un lycée à Paris.
6. Tu n'es pas français?

Exercice 8 *(page 34)*
1. Marie-France n'est pas américaine. Elle est française.
2. Elle n'est pas élève dans une école américaine. Elle est élève dans un lycée.
3. Elle n'est pas de New York. Elle est de Paris.
4. Moi, je ne suis pas français(e). Je suis américain.
5. Je ne suis pas triste. Je suis content(e).
6. Je ne suis pas élève dans un lycée à Paris. Je suis élève dans une école américaine.

Exercice 9 *(page 35)*
1. Est-ce que Marie est américaine?
2. Est-ce que François est blond?
3. Est-ce que Carole est brune?
4. Est-ce que Thomas est intelligent?

Exercice 10 *(page 35)*
Tu es; Tu es; Elle est

Exercice 11 *(page 35)*
1. sincère; sympathique   3. secondaire
2. triste   4. secondaire

Exercice *(page 37)*
1. Oui, Nicole Toussaint est française.
2. Non, Alain n'est pas français; il est américain.
3. Alain Chambers est l'ami américain de Marie-France.
4. Marie-France est très sympa.
5. Oui, elle est d'accord.

6. Non, Marie-France n'est pas à Paris maintenant.
7. Oui, elle est en vacances à Nice.

Leçon 3

Exercice 1 *(page 40)*
1. Marie-France et Thérèse sont amies.
2. Oui, elles sont très enthousiastes pour les sports.
3. Oui, elles sont sportives.
4. Oui, elles sont fortes.

Exercice 2 *(page 41)*
1. Mais non. Pas du tout. Au contraire. Elles sont grandes.
2. Mais non. Pas du tout. Au contraire. Elles sont fortes.
3. Mais non. Pas du tout. Au contraire. Elles sont contentes.
4. Mais non. Pas du tout. Au contraire. Elles sont blondes.

Exercice 3 *(page 42)*
1. Non, ils ne sont pas frères.
2. Oui, ils sont copains.
3. Oui, ils sont très enthousiastes pour les sports.
4. Ils sont forts.

Exercice 4 *(page 42)*
1. Ils sont forts.   3. Ils sont grands.
2. Ils sont bruns.

Exercice 5 *(page 42)*
1. Qui? Jean-Claude et Paul? Mais non. Pas du tout. Au contraire.
Alors, comment sont-ils?
Ils sont forts.
2. Qui? Jean-Claude et Paul? Mais non. Pas du tout. Au contraire.
Alors, comment sont-ils?
Ils sont grands.
3. Qui? Jean-Claude et Paul? Mais non. Pas du tout. Au contraire.
Alors, comment sont-ils?
Ils sont bruns.
4. Qui? Jean-Claude et Paul? Mais non. Pas du tout. Au contraire.
Alors, comment sont-ils?
Ils sont contents.

Exercice 1 *(page 43)*
1. Les   2. les   3. Les; les   4. Les

Exercice 2 *(page 44)*

1. copines	4. sont	7. copains
2. Les	5. Elles; sont	8. Ils
3. Elles	6. sont; Ils	9. sont

Exercice 3 *(page 44)*
1. françaises
2. enthousiastes
3. intelligentes; sympathiques
4. français; américains
5. intelligents
6. forts
7. enthousiastes
8. sincères

Exercice 4 *(page 45)*
1. Elles sont françaises.
2. Elles sont copines.
3. Elles sont fortes.
4. Elles sont intelligentes.

Exercice 5 *(page 45)*
1. Ils sont copains.
2. Ils sont blonds.
3. Ils sont très enthousiastes pour les sports.
4. Ils sont très sincères.

Exercice 1 *(page 47)*
1. françaises
2. intelligentes; sportives; sympathiques; sincères

Exercice 2 *(page 47)*
1. Le lycée est à Paris.
2. Elle est en vacances.
3. Elle est en vacances à Nice.

Activité 1 *(page 47)*
Jean-Claude et Gilbert sont deux garçons français. Ils sont élèves dans un lycée à Paris. Les deux copains sont très intelligents. Sont-ils faibles? Non, pas du tout. Au contraire. Ils sont sportifs. Les deux garçons sont très enthousiastes pour les sports. Ils sont aussi très sympathiques et sincères. C'est l'essentiel!
Jean-Claude n'est pas maintenant à Paris. Où est-il alors? Il est en vacances. Où ça? A Nice. C'est très chouette, n'est-ce pas?

Activité 2 *(page 47)*
Les deux garçons et les deux filles sont très enthousiastes pour les sports. Ils ne sont pas faibles. Pas du tout. Au contraire. Ils sont forts. Ils ne sont pas tristes. Au contraire. Ils sont très contents. Les garçons et les filles sont amis. Les deux garçons sont copains, et les deux filles sont copines.

Leçon 4

Exercice 1 *(page 51)*
1. Oui, les élèves sont américains.
2. Oui, ils sont intelligents.
3. Oui, ils sont forts en français.
4. Le français est facile.

Exercice 3 *(page 51)*
1–4. Mais si. C'est vrai. Incroyable mais vrai.

Exercice 2 *(page 53)*
1. Nous sommes élèves.
2. Nous sommes américains.
3. Nous sommes dans la classe de français.
4. Nous sommes forts en français.
5. Nous sommes intelligents.
6. Nous sommes élèves dans une école américaine.
7. Nous sommes dans la classe de Mme (Mlle, M.) _____.

Exercice 3 *(page 53)*
1. Paul et Marie, êtes-vous américains?
2. Paul et Marie, êtes-vous dans la classe de Mme (Mlle, M.) _____?
3. Paul et Marie, êtes-vous dans la classe de français?
4. Paul et Marie, êtes-vous forts en français?

Exercice 5 *(page 53)*
1. suis
2. est
3. sommes
4. sommes
5. sommes
6. sommes
7. Êtes
8. Êtes
9. sont
10. sont
11. sont

Exercice 6 *(page 54)*
1. Es-tu française?
2. Es-tu française?
3. Êtes-vous français?
4. Es-tu français?
5. Êtes-vous française?
6. Es-tu français?

Exercice *(page 56)*
1. La lettre est de Gilbert Dumas.
2. Non, il n'est pas américain. Il est français.
3. Il est de Paris.
4. Il est à Nice.
5. Il est avec la famille de Roger.
6. Roger est le copain de Gilbert.
7. Oui, ils sont élèves.
8. Ils sont élèves dans un lycée à Paris.
9. Ils sont en vacances à Nice.
10. Les vacances sont formidables.
11. Oui, je suis d'accord!

Activité 2 *(page 57)*
Possibilities:
Les élèves sont dans la classe de français. Ils ne sont pas tristes; ils sont contents. Ils sont dans la classe de Mme (Mlle) _____. Le français n'est pas difficile. Pas du tout. Au contraire. Le français est facile.

Révision

Exercice 1 *(page 61)*
1. Monique est de Paris.
2. Non, elle n'est pas américaine. Elle est française.

3. L'ami de Monique est Charles Lecoté.
4. Il n'est pas de Paris. Il est de Lyon.
5. Il est de Lyon.
6. Il est très sincère et il est aussi très sympa.
7. Oui, ils sont très sportifs.
8. Charles est élève dans un lycée à Lyon.
9. Elle est élève dans un lycée à Paris.
10. Oui, ils sont assez forts en anglais.
11. L'anglais est facile.
12. Oui, ils sont assez intelligents.

Exercice 2 *(page 61)*
es; suis; es; es; suis; est; suis

Exercice 3 *(page 61)*
1. est; est
2. est; est; est
3. sont; sont
4. êtes
5. sommes; est; sommes

Exercice 4 *(page 63)*
1. *Possibilities:* française; brune; intelligente; grande; sincère; sympathique; forte; contente; intéressante
2. *Possibilities:* français; grand; brun; content; fort; intelligent; sincère, etc.
3. *Possibilities:* américains; blonds; forts; intelligents; grands; sincères; enthousiastes; intelligents, etc.
4. *Possibilities:* grandes; enthousiastes; intelligentes; fortes; sympathiques; contentes; etc.

Leçon 5

Exercice 1 *(page 64)*
1. Oui, il habite à Fort-de-France.
2. Oui, René donne une fête.
3. Il donne une surprise-partie.
4. Oui, les amis dansent pendant la fête.
5. Ils parlent français.
6. Oui, ils regardent la télé.
7. Oui, ils écoutent un disque.
8. Oui, ils chantent.
9. Oui, ils aiment les surprises-parties.

Exercice 2 *(page 65)*
1. René donne une fête (une surprise-partie).
2. Les amis regardent la télé.
3. Les amis chantent une chanson.
4. Les amis préparent une salade.
5. Les amis écoutent un disque.
6. Les amis aiment les surprises-parties.

Exercice 1 *(page 66)*
1. Marie et Paul habitent à Fort-de-France aussi.
2. Marie et Paul parlent français aussi.
3. Marie et Paul chantent bien aussi.
4. Marie et Paul regardent la télé aussi.
5. Marie et Paul écoutent un disque de jazz aussi.

Exercice 3 *(page 67)*
1. Je danse.
2. Je chante.
3. Je regarde la télé.
4. Je parle avec les copains.
5. J'arrive chez un ami.

Exercice 4 *(page 67)*
1. Est-ce que tu chantes?
2. Est-ce que tu regardes la télé?
3. Est-ce que tu danses?
4. Est-ce que tu écoutes un disque?
5. Est-ce que tu prépares une salade?

Exercice 5 *(page 68)*
1. Et vous? Qu'est-ce que vous regardez?
2. Et vous? Qu'est-ce que vous préparez?
3. Et vous? Qu'est-ce que vous donnez?
4. Et vous? Qu'est-ce que vous aimez?
5. Et vous? Qu'est-ce que vous écoutez?

Exercice 6 *(page 68)*
1. Nous donnons une surprise-partie pour l'anniversaire d'un ami.
2. Nous dansons pendant la surprise-partie.
3. Nous chantons aussi.
4. Nous parlons avec les copains.
5. Nous regardons la télévision.
6. Nous écoutons un disque de jazz.
7. Nous aimons le jazz.

Exercice 7 *(page 68)*
1. Mais bien sûr. J'aime beaucoup danser.
2. Mais bien sûr. J'aime beaucoup chanter.
3. Mais bien sûr. J'aime beaucoup parler au téléphone.
4. Mais bien sûr. J'aime beaucoup regarder la télé.
5. Mais bien sûr. J'aime beaucoup écouter la radio.

Exercice 8 *(page 68)*
1. Mais non! Pas du tout! Au contraire! Je déteste danser.
2. Mais non! Pas du tout! Au contraire! Je déteste chanter.
3. Mais non! Pas du tout! Au contraire! Je déteste parler au téléphone.
4. Mais non! Pas du tout! Au contraire! Je déteste regarder la télé.
5. Mais non! Pas du tout! Au contraire! Je déteste écouter le jazz.

Exercice 9 *(page 69)*
1. donne
2. donne
3. arrivent
4. dansons
5. parlons
6. aime
7. regardons
8. aimes
9. invites
10. préparez

Exercice 10 (page 69)

1. Jean-Paul ne parle pas anglais.
2. Il n'habite pas à New York.
3. Les amis n'aiment pas le jazz.
4. Je ne parle pas italien.
5. Je n'habite pas à Rome.
6. Nous ne parlons pas anglais dans la classe de français.

Exercice 11 (page 69)

1. Parlez-vous français?
2. Est-ce qu'elle donne une fête?
3. Est-ce qu'il prépare les sandwiches?
4. Est-ce qu'ils chantent très bien?
5. Est-ce qu'elle aime la salade?
6. Est-ce que tu écoutes la radio?

Exercice 12 (page 70)

1. Chante!   3. Écoute!
2. Regarde!   4. Parle français!

Exercice 13 (page 70)

1. Chantez!   3. Écoutez!
2. Regardez!   4. Parlez français!

Exercice 14 (page 70)

1. Oui, j'adore danser. Dansons alors!
2. Oui, j'adore regarder la télé. Regardons la télé alors!
3. Oui, j'adore écouter la radio. Écoutons la radio alors!
4. Oui, j'adore chanter. Chantons alors!

Exercice (page 72)

1. Ginette n'invite pas Roger à la surprise-partie.
2. Roger est sympathique.
3. Roger ne danse pas.
4. Il déteste danser.
5. Ginette aime danser.

Exercice (page 74)

1. René habite à la Martinique.
2. Il parle français.
3. Oui, les Martiniquais parlent français.
4. Oui, la Martinique est une île française.
5. La Martinique est dans la mer des Caraïbes.
6. Il fait toujours chaud à la Martinique.

Activité 1 (page 75)

René Leclos donne une surprise-partie.
Il donne la surprise-partie pour Monique Fauchon.
Elle est chez René.
Il habite à Fort-de-France.
Elle est à 20 heures.
La date est le 2 octobre.

Activité 3 (page 75)

Possibilities: Les amis sont à une surprise-partie.
Ils préparent les sandwiches, ils écoutent un disque, ils dansent. Ils ne sont pas tristes; au contraire, ils sont contents. La surprise-partie est pour l'anniversaire d'un ami.

Leçon 6

Exercice 1 (page 78)

1. Oui, Jean va en ville.
2. Oui, il va au restaurant.
3. Non, il ne va pas au restaurant tout seul.
4. Oui, il va au restaurant avec une copine.
5. Oui, les deux amis vont au restaurant à pied.
6. Oui, ils vont dîner au restaurant.

Exercice 2 (page 78)

1. Il va en ville.
2. Il va au restaurant.
3. Hélène va au restaurant avec Jean.
4. Ils vont dîner au restaurant.

Exercice 2 (page 79)

1. Oui, je vais au restaurant. (Non, je ne vais pas au restaurant.)
2. Oui, je vais au restaurant à pied. (Non, je ne vais pas au restaurant à pied.)
3. Oui, je vais au restaurant avec un(e) ami(e). (Non, je ne vais pas au restaurant avec un(e) ami(e)).
4. Oui, après le dîner, je vais au théâtre ou au cinéma. (Non, après le dîner, je ne vais pas au théâtre ou au cinéma.)

Exercice 3 (page 80)

1. Vas-tu au cinéma?
2. Vas-tu au restaurant?
3. Vas-tu au lycée?
4. Vas-tu à l'école?
5. Vas-tu à la fête de René?
6. Vas-tu à la classe de français?
7. Vas-tu à la maison?

Exercice 4 (page 81)

1. Le lundi, nous allons à l'école.
2. Nous allons à la classe de français.
3. Nous allons à la classe de mathématiques.
4. Après les classes, nous allons à la maison.
5. Vendredi soir, nous allons au restaurant.
6. Après le dîner, nous allons au théâtre ou au cinéma.

Exercice 5 (page 81)

1.–5. Et où allez-vous?

Exercice 6 (page 81)

1. vais   3. vais   5. allons
2. vais   4. allons   6. allons

Exercice 7 (page 81)

vont; vont; vont; vont

43

Exercice 8 *(page 81)*
vais; vas; vais; va; Allez; Allons; vais

Exercice 9 *(page 82)*
1. à l'école
2. au restaurant
3. au cinéma
4. à la fête
5. aux amis
6. à la maison

Exercice 10 *(page 82)*
au concert; au parc; au lycée; au restaurant; au cinéma; à la fête; à la maison

Exercice 1 *(page 85)*
1. Jean va au restaurant avec une copine.
2. Il va dîner au restaurant avec Hélène.
3. Il va commander le dîner.
4. Jean et Hélène commandent un steak frites.
5. Hélène aime le steak saignant.

Exercice 2 *(page 85)*
restaurant; copine; garçon; menu; menu; saignant; bien cuit; addition; compris; plus; garçon; pourboire

Exercice *(page 86)*
1. Oui, les Français aiment dîner au restaurant.
2. Oui, beaucoup de gens réservent une table à l'avance.
3. Oui, la cuisine est très importante pour les Français.
4. Le dimanche beaucoup de restaurants sont fermés.
5. Le dimanche les familles françaises dînent à la maison.

Activité 1 *(page 87)*
Oui, le restaurant est fermé.
C'est dimanche.
Oui, le restaurant est fermé le dimanche.
Oui, beaucoup de restaurants français sont fermés le dimanche.
Les Français aiment dîner à la maison.

Activité 2 *(page 87)*
Possibilities: Le garçon donne un menu aux amis. Le garçon donne les steaks frites aux amis. Le garçon demande l'addition. Les amis payent et laissent un pourboire pour le garçon.

Leçon 7

Exercice 1 *(page 91)*
1. Oui, la famille Dupont a un appartement à Paris.
2. Oui, Monsieur Dupont a deux enfants.
3. Oui, la famille Dupont a un chien.

4. Oui, ils ont un appartement dans un immeuble.
5. Oui, ils ont un appartement au deuxième étage.

Exercice 2 *(page 91)*
1. Il y a quatre personnes dans la famille Dupont.
2. Il y a deux enfants dans la famille.
3. Il y a six pièces dans l'appartement.
4. Il y a dix appartements dans l'immeuble.
5. Il y a cinq étages dans l'immeuble.

Exercice 3 *(page 91)*
famille; personnes; fille; fils; sœur; frère; appartement; immeuble; pièces; étage

Exercice 1 *(page 92)*
1. Oui, Madame Dupont a deux enfants.
2. Oui, Monique a un frère.
3. Oui, Philippe a une sœur.
4. Oui, Monsieur et Madame Dupont ont deux enfants.
5. Oui, ils ont une fille.
6. Oui, ils ont un appartement à Paris.
7. Oui, ils ont un chien.

Exercice 3 *(page 93)*
1. Oui, j'ai un frère.
2. J'ai (un, deux, etc.) frère(s).
3. Oui, j'ai une sœur.
4. J'ai (une, deux, etc.) sœur(s).
5. Oui, j'ai une cousine.
6. J'ai (une, deux, etc.) cousine(s).
7. Oui, j'ai un cousin.
8. J'ai (un, deux, etc.) cousin(s).

Exercice 5 *(page 93)*
1.–4. Pardon? Qu'est-ce que vous avez?

Exercice 6 *(page 93)*
1. Nous avons un chien.
2. Nous avons un chat.
3. Nous avons un disque.
4. Nous avons une maison (un appartement).

Exercice 7 *(page 93)*
ont; ont; a; a; a; a; a; a; as; as; avez; avez; ai; ai; avons; avons

Exercice 8 *(page 94)*
1. Oui, j'ai un frère.
2. Oui, j'ai une sœur.
3. Oui, j'ai des cousins.
4. Oui, j'ai des copains.

Exercice 9 *(page 94)*
1. Non, je n'ai pas de chien.
2. Non, je n'ai pas de chat.

3. Non, je n'ai pas d'appartement à Paris.
4. Non, je n'ai pas de maison à Nice.
5. Non, je n'ai pas de disques.
6. Non, je n'ai pas de cousins français.
7. Non, je n'ai pas d'amis français.

Exercice 10 *(page 95)*
1. un 2. de 3. des 4. un

Exercice 11 *(page 95)*
1. des; de 3. des; de; des
2. des; de; des

Exercice 12 *(page 96)*
1. Il y a cinq personnes dans la famille.
   Il y a trois enfants.
   Il y a un fils.
   Il y a deux filles.
2. Il y a quatre pièces dans l'appartement.
3. Il y a six appartements dans l'immeuble.
4. Il y a cinq étages dans l'immeuble.

Exercice *(page 99)*
1. a 4. b 7. c
2. b. 5. c 8. b
3. a 6. c 9. c

Activité 1 *(page 100)*
Vrai / Vrai / Faux / Vrai

Activité 3 *(page 101)*
Possibilities: Il y a quatre personnes dans la
   famille. Il y a deux enfants: un fils et une fille.
   La famille a un chien. Ils regardent la
   télévision.

Activité 4 *(page 101)*
Possibilities: Est-ce que la famille a un chien?
   Est-ce qu'elle habite un appartement?
   Combien d'enfants est-ce qu'il y a dans la
   famille?

Leçon 8

Exercice 1 *(page 104)*
1. Jacques fait les courses.
2. Oui, il fait les courses le matin.
3. Non, il ne fait pas les courses dans un
   supermarché.
4. Il fait les courses au marché.

Exercice 2 *(page 104)*
pain; baguette; argent; baguette

Exercice 3 *(page 106)*
1. lait 4. viande
2. poisson 5. fruits
3. pain

Exercice 4 *(page 106)*
1. le crémier 4. le boulanger
2. la marchande de légumes 5. le boucher
3. la pâtissière

Exercice *(page 107)*
1. boulangerie; achète
2. boucherie; achetons
3. pâtisserie; achètent
4. poissonnerie; achetez

Exercice 2 *(page 108)*
1. Oui, Paul fait les courses.
2. Oui, il fait les courses au marché de la rue
   Cler.
3. Oui, les amis de Paul font les courses aussi.
4. Ils font les courses au même marché.

Exercice 4 *(page 109)*
1. Nous faisons les courses, et vous aussi, vous
   faites les courses.
2. Nous faisons les courses le matin, et vous
   aussi, vous faites les courses le matin.
3. Nous faisons les courses dans un
   supermarché, et vous aussi, vous faites les
   courses dans un supermarché.

Exercice 5 *(page 109)*
fait; fais; faisons; faisons; font; font; faites; faites;
   fait; faire; faire

Exercice 6 *(page 109)*
1. Fais-tu les courses? Oui, je fais les courses.
2. Est-ce que tu prépares la salade? Oui, je
   prépare la salade.
3. Est-ce que vous chantez? Oui, nous chantons.
4. Est-ce que vous dînez au restaurant? Oui,
   nous dînons au restaurant.
5. Est-ce que vous regardez la télé? Oui, nous
   regardons la télé.

Exercice 7 *(page 110)*
1. de la 4. des 6. des
2. du; du; des 5. des 7. de l'
3. de la

Exercice 8 *(page 111)*
1. Oui, j'écoute du jazz. J'aime beaucoup le jazz.
2. Oui, je vais acheter du pain. J'aime beaucoup
   le pain.
3. Oui, j'achète des gâteaux. J'aime beaucoup les
   gâteaux.
4. Oui, je commande du dessert. J'aime
   beaucoup le dessert.
5. Oui, je commande de la soupe aussi. J'aime
   beaucoup la soupe.

Exercice 9 (page 111)

1. Avez-vous du lait, madame?
2. Avez-vous de la salade, madame?
3. Avez-vous des gâteaux, madame?
4. Avez-vous du pain français, madame?
5. Avez-vous des fruits, madame?

Exercice 10 (page 112)

1. Non, elle n'achète pas de viande chez le boulanger. Elle achète de la viande chez le boucher.
2. Non, elle n'achète pas de poisson chez le boucher. Elle achète du poisson chez le poissonnier.
3. Non, elle n'achète pas de lait chez le marchand de légumes. Elle achète du lait chez le crémier.
4. Non, elle n'achète pas de gâteaux chez le poissonnier. Elle achète des gâteaux chez le pâtissier.

Exercice 11 (page 112)

des; de; de l'; d'; du; de la; de; du; de la; de; des

Exercice (page 115)

1. b   3. c   5. b
2. b   4. a

Exercice (page 117)

1. Oui, il y a des supermarchés.
2. Non, les Français ne vont pas souvent faire les courses au supermarché.
3. Oui, ils aiment faire les courses dans des magasins spécialisés.
4. Ils vont acheter de la viande chez le boucher.
5. Ils vont acheter du pain chez le boulanger.
6. Oui, ils vont presque tous les matins chez le boulanger.
7. Oui, la qualité est presque toujours excellente dans les magasins spécialisés.
8. Oui, les Français aiment converser un peu avec les marchands.
9. Au supermarché, les Français achètent, par exemple, des conserves en boîtes, des bouteilles d'eau minérale, du papier hygiénique et du savon.

Activité 1 (page 118)

Chez le marchand de légumes les Français achètent des fruits et des légumes.
À la pâtisserie les Français achètent des gâteaux.
À la crémerie les Français achètent du lait.
À la boucherie les Français achètent de la viande.
À la boulangerie les Français achètent du pain.
À la poissonnerie les Français achètent du poisson.

Activité 2 (page 119)

de la viande; boucher
des fraises; marchand de légumes
de l'eau minérale; au supermarché
des croissants; boulanger

Activité 3 (page 119)

French; American; French; French

Révision

Exercice 1 (page 122)

a; de; a; vont; au; va; au; a; va; habitent; ont

Exercice 2 (page 123)

1. parle   4. chantons
2. prépare   5. regardez
3. écoutent

Exercice 5 (page 124)

1. Caroline fait de l'histoire. Elle va à la classe d'histoire à _____ heures. Elle a un professeur _____.
2. Moi, je fais du français. Je vais à la classe de français à _____ heures. J'ai un professeur _____.
3. Claude et René font des maths. Ils vont à la classe de maths à _____ heures. Ils ont un professeur _____.
4. Nous faisons de l'anglais. Nous allons à la classe d'anglais à _____ heures. Nous avons un professeur _____.
5. Tu fais de la biologie. Tu vas à la classe de biologie à _____ heures. Tu as un professeur _____.
6. Vous faites de la gymnastique. Vous allez à la classe de gymnastique à _____ heures. Vous avez un professeur _____.

Exercice 6 (page 125)

1. un; une; des   3. un; une
2. un; des; de la

Exercice 7 (page 125)

1. Robert a des frères mais il n'a pas de sœurs.
2. Robert a des disques mais il n'a pas d'argent.
3. Robert a de la viande mais il n'a pas de salade.
4. Robert a de la salade mais il n'a pas de pommes frites.
5. Robert a du poisson mais il n'a pas de fruits.

Exercice (page 126)

1. un Américain   2. un Français

Exercice (page 128)

1. a   3. b   5. a
2. b   4. c   6. a

Exercice *(page 129)*
1. La Martinique est une île tropicale.
2. La Martinique est dans la mer des Caraïbes.
3. Les habitants de la Martinique sont des Martiniquais.
4. Les Martiniquais parlent français.
5. Oui, il y a beaucoup d'influence africaine à la Martinique.
6. Beaucoup de Martiniquais sont d'origine africaine.
7. Il fait toujours chaud à la Martinique.
8. Beaucoup de Français, de Canadiens-français, et d'Américains aiment passer les vacances à la Martinique.
9. Ils aiment aller à la Martinique en hiver.

Leçon 9

Exercice 1 *(page 131)*
1. Oui, il est au comptoire.
2. Oui, il parle avec l'employée.
3. Oui, il donne son billet et son passeport à l'employée.
4. Oui, l'employée donne une carte d'embarquement au passager.
5. Oui, les passagers passent par le contrôle de sécurité.
6. Oui, après ça ils vont à la porte.

Exercice 2 *(page 131)*
1. l'indicateur
2. la valise
3. la porte
4. l'ordinateur
5. la carte d'embarquement
6. le contrôle de sécurité

Exercice 3 *(page 132)*
1. Le porteur aide le passager avec ses bagages.
2. Le passager montre son billet à l'employée.
3. Il choisit sa place.
4. Il fait enregistrer ses bagages.

Exercice 4 *(page 132)*
1. bagages
2. l'employée
3. place
4. finissent

Exercice 1 *(page 133)*
1. Oui, Madame Lemoine choisit un vol d'Air France.
2. Oui, elle choisit le vol numéro quinze.
3. Oui, elle choisit sa place dans l'avion.
4. Oui, l'avion atterrit après le voyage.
5. Oui, il atterrit à sept heures.
6. Oui, Madame Lemoine finit son voyage.

Exercice 3 *(page 134)*
1.–5. Pardon? Qu'est-ce que vous choisissez?

Exercice 4 *(page 134)*
1. Oui, les passagers choisissent leurs places.
2. Oui, ils choisissent leurs places au comptoir de la ligne aérienne.
3. Oui, ils choisissent un vol direct.

Exercice 5 *(page 135)*
1. Voici mon ami.
2. Voici mon amie.
3. Voici mon billet.
4. Voici ma carte d'embarquement.
5. Voici ma valise.
6. Voici ma place.
7. Voici mes bagages.
8. Voici mes billets.

Exercice 6 *(page 135)*
1. Richard, est-ce que tu as ton passeport aussi?
2. Richard, est-ce que tu as ton billet aussi?
3. Richard, est-ce que tu as ta carte d'embarquement aussi?
4. Richard, est-ce que tu as ta valise aussi?
5. Richard, est-ce que tu as tes bagages aussi?
6. Richard, est-ce que tu as tes disques aussi?

Exercice 7 *(page 135)*
1. Son cousin est là-bas.
2. Son copain est là-bas.
3. Sa sœur est là-bas.
4. Sa copine est là-bas.
5. Ses amis sont là-bas.
6. Ses copains sont là-bas.

Exercice 8 *(page 136)*
1. Son ami est très sympa.
2. Son cousin est très sympa.
3. Sa mère est très sympa.
4. Sa sœur est très sympa.
5. Ses frères sont très sympa.
6. Ses copains sont très sympa.

Exercice 9 *(page 136)*
1. Nous parlons avec notre professeur de français.
2. Nous faisons un voyage avec notre classe de français.
3. Nous montrons notre billet à l'employée.
4. Nous choisissons nos places.
5. Nous faisons enregistrer nos bagages.

Exercice 10 *(page 136)*
1. Oui, leur appartement est à Paris.
2. Oui, leurs amis habitent Paris aussi.
3. Oui, ils font un voyage avec leurs amis.
4. Oui, ils vont à leur maison de Nice.
5. Oui, ils vont à leur maison de Nice en été.

Exercice 11 *(page 136)*
ton; mon; ma; mes; mon; ton; mon; ma; ta; sa

Exercice 12 *(page 137)*
Sa; son; sa; son; leurs; Leurs; notre; nos; votre; votre

Exercice 13 *(page 137)*
aérienne; canadienne; européens; bon; bonne,
    canadien; bon; européen

Exercice *(page 138)*
1. comptoir
2. l'employé
3. Montréal
4. 201
5. Montréal
6. valises
7. carte d'embarquement
8. porte
9. L'ordinateur

Exercice *(page 140)*
1. c
2. c.
3. a
4. b
5. b
6. b
7. b
8. c
9. b
10. c

Activité 1 *(page 141)*
Los Angeles; PD 185

Activité 2 *(page 141)*
Jennings; TV 642; New York; 42C

Leçon 10

Exercice 1 *(page 145)*
1. station de ski
2. télésiège
3. monter sur
4. guichet
5. descendent

Exercice 2 *(page 147)*
1. Oui, les skieurs montent au sommet de la montagne.
2. Oui, ils ont leurs skis et leurs bâtons.
3. Oui, ils ont leurs bottes de ski.
4. Oui, tout le monde a un anorak.
5. Oui, l'enfant fait une boule de neige.
6. Oui, on patine sur la patinoire.

Exercice 3 *(page 147)*
1. Il fait froid en hiver.
2. Oui, il neige.
3. Oui, il fait du vent.
4. Oui, les vents d'hiver sont forts.
5. Il fait deux degrés. (zéro, moins deux).

Exercice 1 *(page 149)*
1. Oui, les skieurs attendent le télésiège.
2. Oui, ils descendent la piste.
3. Oui, ils descendent vite.
4. Oui, un skieur perd un ski.
5. Oui, il descend la piste à pied.
6. Oui, il entend le moniteur.

Exercice 2 *(page 149)*
1. Moi aussi, j'attends le moniteur.
2. Moi aussi, j'attends la leçon de ski.
3. Moi aussi, j'entends la question du moniteur.
4. Moi aussi, je réponds à la question.

Exercice 3 *(page 149)*
1. Nous attendons le moniteur et vous attendez le moniteur aussi.
2. Nous descendons la piste et vous descendez la piste aussi.
3. Nous descendons vite et vous descendez vite aussi.
4. Hélas, nous perdons nos skis et vous perdez vos skis aussi.

Exercice 4 *(page 150)*
1. attendent
2. vend
3. descends
4. perd
5. descends
6. Attends
7. entends
8. descendons

Exercice 5 *(page 150)*
1. Ah, oui? Quels sports d'hiver aimes-tu?
2. Ah, oui? Quel moniteur aimes-tu?
3. Ah, oui? Quel parc aimes-tu?
4. Ah, oui? Quelles pistes aimes-tu?
5. Ah, oui? Quelles bottes aimes-tu?
6. Ah, oui? Quelle patinoire aimes-tu?
7. Ah, oui? Quels disques aimes-tu?

Exercice 6 *(page 151)*
1. Oh là là! Quelle montagne!
2. Oh là là! Quel soleil!
3. Oh là là! Quelle patinoire!
4. Oh là là! Quelle neige!
5. Oh là là! Quels skieurs!
6. Oh là là! Quels skis!

Exercice 7 *(page 152)*
Toute; Tous; Tous; Tous; toutes; tout; tout

Exercice *(page 152)*
son; sports d'hiver; du ski; descend; ne descend;
    skie; débutante; pistes

Exercice *(page 154)*
1. Il fait froid.
2. La classe de Mme Benoît est au mont Sainte-Anne.
3. Le parc du mont Sainte-Anne est une station de sports d'hiver.
4. Les élèves vont tout de suite à la montagne.
5. Ils ont tout leur équipement, les skis, les bâtons, les bottes, et les anoraks.
6. Ils achètent leurs tickets pour le télésiège.
7. Ils montent jusqu'au sommet de la montagne dans le télésiège.
8. Ils descendent la piste très vite.
9. Paul est débutant.
10. Il perd un bâton.
11. Il roule deux cents mètres jusqu'au bout de la piste.
12. Paul est une boule de neige.
13. Paul va remonter.

Activité 2 *(page 155)*
Possibilities: Les enfants sont à la station des
   sports d'hiver. Ils vont faire du ski. Ils ont tout
   leur équipement: les skis, les bottes, les
   bâtons. Ils vont acheter leurs tickets au guichet
   pour le télésiège. Ensuite ils vont monter
   jusqu'au sommet de la montagne. Il fait très
   froid et il y a de la neige partout.

Leçon 11

Exercice 1 *(page 158)*
1. Oui, le train part pour Marseille.
2. Il part de la voie H, quai numéro six.
3. Oui, le passager sort de la gare.
4. Oui, le passager dort dans le train.
5. Il dort dans une couchette.
6. Oui, on sert le dîner dans le train.
7. On sert le dîner dans le wagon-restaurant.

Exercice 2 *(page 158)*
1. Part   3. sert
2. dort   4. sort

Exercice 1 *(page 159)*
1. Oui, les passagers partent en train.
2. Oui, ils partent pour Marseille.
3. Oui, ils sortent leurs billets dans le train.
4. Oui, ils dorment dans le train.
5. Oui, les garçons servent le dîner dans le
   wagon-restaurant.
6. Oui, je pars en voyage.
7. Oui, je pars en train.
8. Oui, je pars à neuf heures.

Exercice 3 *(page 160)*
1. partent   5. sert
2. partent   6. part; part
3. partent   7. part
4. part

Exercice 4 *(page 160)*
partons; partons; pars; part
dors; dort; sortons; sort; sors; Sortez; sortez;
   partez

Exercice 5 *(page 162)*
1. Oui, cette fille est intelligente.
2. Oui, cette élève est forte en français.
3. Oui, cette classe est intéressante.
4. Oui, cet athlète est fort.
5. Oui, cet élève est intelligent.
6. Oui, ce garçon est blond.
7. Oui, ce disque est bon.
8. Oui, ce billet est pour le train.

Exercice 6 *(page 162)*
1. Oui, et ces élèves-là aussi.
2. Oui, et ces filles-là aussi.

3. Oui, et ces élèves-là aussi.
4. Oui, et ces garçons-là aussi.
5. Oui, et ces chiens-là aussi.

Exercice 7 *(page 162)*
1. Cette élève-ci.   5. Ce disque-ci.
2. Cet élève-ci.   6. Ces billets-ci.
3. Ce copain-ci.   7. Cette voie-ci.
4. Cette classe-ci.   8. Ces rues-ci.

Exercice 8 *(page 162)*
ces; ce; ce; ce; ce

Exercice *(page 164)*
1. Le train   4. au guichet
2. Le quai   5. queue
3. acheter   6. couchettes

Exercice 1 *(page 166)*
1. train   4. guichet
2. Marseille   5. aller et retour
3. gare   6. couchette

Exercice 2 *(page 166)*
1. a   3. c
2. c   4. a

Exercice 3 *(page 166)*
1. Le contrôleur crie, «Les voyagers pour
   Marseille, en voiture, s'il vous plaît.»
2. Un contrôleur vérifie les billets dans le train.
3. Jean-Luc dort dans la couchette.
4. Le matin il va au wagon-restaurant.
5. On sert le petit déjeuner dans le wagon-
   restaurant.
6. Jean-Luc commande un café au lait et des
   croissants.
7. Le train arrive à Marseille.

Activité 2 *(page 167)*
Le train numéro 112 part à 22 h 36.
Il part de la gare de Lyon.
Il va à Marseille.
Il arrive à Marseille à 8 h 10.
Oui, les passagers passent la nuit dans le train.

Activité 3 *(page 167)*
Possibilities: La fille achète un billet au guichet.
   Elle fait enregistrer ses valises. Elle achète un
   billet aller et retour. Elle dort dans la couchette.

Leçon 12

Exercice 1 *(page 170)*
1. Oui, tout le monde est à la plage.
2. On va à la plage en été.
3. Oui, les gens prennent des bains de soleil à la
   plage.

4. Oui, ils prennent des bains de mer.
5. Oui, il y a des vagues dans la mer.
6. Oui, il y a du sable sur la plage.
7. Oui, les rochers sont dangereux.

Exercice 2 *(page 171)*
1. b   4. c
2. a   5. b
3. b

Exercice 3 *(page 171)*
1. plonger
2. faire de la planche à voile
3. faire du ski nautique
4. nager
5. faire de la plongée sous-marine

Exercice 1 *(page 172)*
1. Oui, Giselle prend son maillot pour aller à la plage.
2. Oui, elle prend aussi de la lotion solaire.
3. Oui, elle prend un bain de soleil sur la plage.
4. Oui, elle prend aussi un bain de mer.

Exercice 2 *(page 173)*
1. Oui, j'apprends à nager dans la mer à la plage.
2. Oui, j'apprends à faire du ski nautique.
3. Oui, j'apprends à faire de la plongée sous-marine.
4. Oui, j'apprends à faire de la planche à voile.

Exercice 3 *(page 173)*
1. prends
2. Qu'est-ce que tu prends?
3. Qu'est-ce que tu prends?
4. Qu'est-ce que tu prends?

Exercice 4 *(page 173)*
Possibilities: de l'eau minérale et des gâteaux; un sandwich et un coca; un sandwich et du café; etc.

Exercice 5 *(page 174)*
1. Mes amis apprennent à plonger.
2. Mes amis apprennent à faire du ski nautique.
3. Mes amis apprennent à faire de la plongée sous-marine.
4. Mes amis apprennent à faire de la planche à voile.

Exercice 6 *(page 174)*
prends; prends; prend; apprennent; apprennent; comprends; prenons

Exercice 7 *(page 175)*
1. Moi, oui! J'aime aller à la plage.
2. Lui, oui! Il aime faire du ski nautique.
3. Elles, oui! Elles aiment faire de la plongée sous-marine.

4. Nous, oui! Nous aimons nager.

Exercice 8 *(page 175)*
1. elle   4. eux
2. moi   5. moi
3. moi; lui

Exercice 1 *(page 177)*
1. a   2. c   3. c

Exercice 2 *(page 177)*
1. Il fait très chaud.
2. Ils vont à la plage.
3. Ils portent leurs maillots.
4. Georges est un vrai casse-cou.
5. Il va faire de la planche à voile.
6. Robert va prendre un bain de soleil.

Exercice *(page 179)*
  1. Les Français aiment beaucoup les vacances.
  2. Le mois d'août est le mois des vacances en France.
  3. Les uns partent en voiture pour aller en vacances, les autres en train ou en avion.
  4. La Côte d'Azur est sur la mer Méditerranée.
  5. Sur la côte il y a beaucoup de stations balnéaires.
  6. En été il fait très beau et le soleil brille fort dans le ciel bleu.
  7. La planche à voile est un sport d'été.
  8. Quand il y a un vent assez fort, les débutants tombent de la planche.
  9. Quand le vent est fort, la planche à voile glisse très vite sur les vagues.
 10. On porte un maillot pour faire du ski nautique.
 11. Les gens qui aiment regarder les poissons dans la mer font de la plongée sous-marine.

Activité 2 *(page 179)*
La mer
La plage
Le ciel ou la mer
La planche

Activité 3 *(page 179)*
Possibilities: Les gens sont sur la plage. Il fait beau. Ils portent leurs maillots et ils prennent des bains de soleil. Une fille fait du ski nautique. Un garçon fait de la planche à voile. D'autres prennent des bains de mer. Tout le monde est content.

Révision

Exercice 1 *(page 182)*
1. Alain et Philippe sont à la gare.
2. Philippe attend le train pour Marseille.

3. Alain et Philippe partent pour Marseille.
4. Les deux garçons prennent le même train.
5. Ils vont passer toute la nuit dans le train.

Exercice 2 *(page 183)*
1. Philippe choisit des skis.
2. Moi, je choisis un anorak.
3. Alice choisit des skis nautiques.
4. Gilbert et Claude choisissent un petit ordinateur.
5. Nous choisissons des vacances.
6. Alice et Henriette choisissent des bottes de ski.

Exercice 3 *(page 183)*
1. Ginette et Thérèse attendent l'avion.
2. Les deux amies choisissent le même vol.
3. Thérèse entend une annonce.
4. Oui, elle entend l'annonce du départ de leur vol.
5. Oui, l'avion atterrit à l'heure exacte.

Exercice 4 *(page 184)*
attends; part; vend; attends; prends; prends; part; prenons; part; part; part; dorment; descendent

Exercice 5 *(page 184)*
1. tous; toute
2. quels; tous
3. tous; ce
4. quelle; cette
5. quel
6. tous; cette; ce

Exercice 6 *(page 185)*
1. Oui, c'est lui qui va faire le voyage.
2. Oui, il va avec elle.
3. Moi, je vais aller avec eux.
4. Vous, vous allez prendre le même vol?
5. Moi, je vais descendre les pistes difficiles.
6. Lui, il va descendre les pistes pour les débutants.

Exercice 1 *(page 187)*
1. Faux   3. Faux   5. Faux
2. Vrai   4. Faux   6. Faux

Exercice *(page 189)*
1. b   4. b   7. a
2. a   5. b   8. b
3. c   6. b

McGRAW-HILL

French

rencontres
first part

Jo Helstrom
Conrad J. Schmitt

Webster Division
McGraw-Hill Book company

NEW YORK • ATLANTA • ST. LOUIS • DALLAS • SAN FRANCISCO
• AUCKLAND • BOGOTÁ • HAMBURG • JOHANNESBURG •
LONDON • MADRID • MEXICO • MONTREAL • NEW DELHI •
PANAMA • PARIS • SÃO PAULO • SINGAPORE • SYDNEY • TOKYO
• TORONTO

credits

EDITOR • Jacqueline Rebisz
DESIGN SUPERVISOR • James Darby
PRODUCTION SUPERVISOR • Salvador Gonzales
ILLUSTRATORS • Bert Dodson • Hal Frenck • Les Gray
• Susan Lexa • Jane McCreary
• Susan Swan • George Ulrich
PHOTO EDITOR • Alan Forman
PHOTO RESEARCH • Ellen Horan
COVER DESIGN • Group Four, Inc.
LAYOUT AND DESIGN • Function thru Form, Inc.
LANGUAGE CONSULTANT • Jean-Jacques Sicard,
Alliance Française
EDITORIAL CONSULTANTS • Lorraine Garrand
• Deborah Jennings • Carroll Moulton
• Jean-Jacques Sicard • Carolyn Weir

• Cartographer • David Lindroth

This book was set in 10 point Century Schoolbook by Monotype Composition Co., Inc. Color separation was done by Schawkgraphics, Inc.

Library of Congress Cataloging in Publication Data

Helstrom, Jo.
  McGraw-Hill French rencontres.

  Includes index.
  Summary: A textbook for high school students, introducing the fundamentals of French grammar and vocabulary through written and oral exercises and providing cultural information about French-speaking countries throughout the world.
  1. French language—Text-books for foreign speakers—English. 2. French language—Grammar—1950– . [1. French language—Grammar] I. Schmitt, Conrad J. II. Title.

PC2129.E5H44   1986   448.2'421   84-23330

ISBN 0-07-028191-2

3 4 5 6 7 8 9 DOCDOC 94 93 92 91 90 89 88 87

acknowledgments

The authors wish to express their appreciation to the many foreign language teachers throughout the United States who have shared their thoughts and experiences with us. We express our particular gratitude to those teachers listed below who have carefully reviewed samples of the original manuscript and have willingly given of their time to offer their comments, suggestions, and recommendations. With the aid of the information supplied to us by these educators, we have attempted to produce a text that is contemporary, communicative, authentic, and useful to a wide variety of students from all geographic areas.

Delores Allen
Woodrow Wilson High School
Middletown, Connecticut

Richard W. Ayotte
Cony High School
Augusta, Maine

Evelyn Brega
Lexington Public Schools
Lexington, Massachusetts

Julia T. Bressler
Nashua Senior High School
Nashua, New Hampshire

Robert J. Bruggeman
Colonel White High School
Dayton, Ohio

Gail Castaldo
Pingry School
Hillside, New Jersey

Nelly D. Chinn
Voorhees High School
Glen Gardner, New Jersey

Renay Compton
Stivers Intermediate School
Dayton, Ohio

Robert Decker
Long Beach Unified Schools
Long Beach, California

Mary-Jo Fassié
William Fleming High School
Roanoke, Virginia

Regina Grammatico
Amity Regional Senior High School
Woodbridge, Connecticut

Helen Grenier
Baton Rouge Magnet High School
Baton Rouge, Louisiana

Michaele P. Hawthornthwaite
Hillcrest High School
Simpsonville, South Carolina

Marion E. Hines
District of Columbia Public Schools
Washington, D.C.

Katy Hoehn
Troy High School
Fullerton, California

Lannie B. Martin
Jefferson-Huguenot-Wythe High School
Richmond, Virginia

David M. Oliver
Bureau of Foreign Language
Chicago Board of Education
Chicago, Illinois

Eunice T. Pavageau
Zachary High School
Baton Rouge, Louisiana

Zelda Penzel
Southside Senior High School
Rockville Centre, New York

John Peters
Cardinal O'Hara High School
Springfield, Pennsylvania

James L. Reed
Orange High School
Cleveland, Ohio

Charlene Sawyer
J. L. Mann High School
Greenville, South Carolina

James J. Shuster
Olney High School
Philadelphia, Pennsylvania

Alice Stanley
Southfield-Lathrup High School
Lathrup Village, Michigan

Mary Margaret Sullivan
George Washington High School
Charleston, West Virginia

Nina von Isakovics
South Lakes High School
Reston, Virginia

Marie S. Wallace
Tilden Intermediate School
Rockville, Maryland

The authors would like to thank Jeanne M. Driscoll for preparing the end vocabulary.
The authors would also like to thank the following persons and organizations for permission to include the following photographs:

3:(bl), **3:**(br) Stuart Cohen; **3:**(tr) Richard Hackett; **3:**(tl) Gillas Peress/Magnum; **5:**(br) stuart Cohen; **5:**(tl) Richard Hackett; **7:**(br) Stuart Cohen; **7:**(tr) Gilles Peress/Magnum; **9:** Beryl Goldberg; **10:**(bl) Owen Franken/Stock, Boston; **10:**(br) Glynn Cloyd/Taurus Photo; **10:**(ml) J. Pavlovsky/Sygma; **10:**(m) Beryl Goldberg; **10:**(mr) Hugh Rogers/Monkmeyer Press Photo; **10:**(ml) Frank Grant/Intl. Stock Photo; **10:**(mr) Sid Nolan/Taurus Photo; **10:**(tl) Dennis Stock/Magnum; **10:**(tr) David Burnett/Woodfin Camp; **15:** Richard Hackett; **17:**(bl), **17:**(bm) Peter Menzel; **17:**(br) Ira Lipsky/Intl. Stock Photo; **17:**(mt) Robert Clark/Photo Researchers; **17:**(ml) Jean Gaumy/Magnum; **17:**(mr) Bernard Pierre Wolff/Photo Researchers; **17:**(tl) Vance Henry/Taurus Photo; **17:**(tr) Hugh Rogers/Monkmeyer Press Photo; **20:**(tl) Frank Siteman/Stock, Boston; **20:**(t) Beryl Goldberg; **21:**(tl) Costa Manos/Magnum; **21:**(tr) Arthur Grace/Stock, Boston; **22:**(bl) Pam Hasegawa/Taurus Photo; **22:**(r), **24:**(l), **24:**(r) Richard Hackett; **25:**(l) Beryl Goldberg; **25:**(mr) Richard Hackett; **27:**(l) Peter Menzel/Stock, Boston; **27:**(r) Beryl Goldberg **28:**(b), **28:**(r) Peter Menzel; **29:**(b), **29:**(t) Beryl Goldberg; **30:**(t) Dana Jennings; **32:** Richard Hackett; **33:** Rapho-Durey/Photo Researchers Inc.; **37:**(l) Owen Franken/Stock, Boston; **37:**(r), **38:**(b), **38:**(t) Peter Menzel; **39:**(b) John Lei/Stock, Boston; **40:**(r), **41:**(b), **41:**(m), **45:**(b), **45:**(t) Richard Hackett; **46:** Hugh Rogers/Monkmeyer; **48:**(l) Beryl Goldberg; **48:**(t) Richard Hackett; **49:**(b) Hugh Rogers/Monkmeyer Press Photo; **49:**(l) Pascal Parrot/Sygma; **52:** Peter Menzel; **53:** Arthur Grace/Stock, Boston; **54:**(l) Peter Menzel; **54:**(m) Len Speier; **54:**(r) Helen Marcus/Photo Researchers; **55:**(l) Beryl Goldberg; **55:**(m) Bob Capece/MGH; **55:**(r) Palmer/Brilliant; **56:** Rapho-Fournier/Photo Researchers Inc.; **58–59:** Jean Gaumy/Magnum; **58:**(bl) Peter Menzel; **58:**(b) Beryl Goldberg; **58:**(t) Gordon W. Gahan/Photo Researchers Inc.; **59:**(b) Peter Menzel; **59:**(mr) Beryl Goldberg; **60:** Peter Menzel; **62:** Beryl Goldberg; **74:**(l) Tom and Michelle Grimm/Intl. Stock Photo; **74:**(r) Gordon Johnson/Photo Researchers Inc.; **76:**(bl) Berlitz/Kay Reese; **76:**(br) Barbara Cooper/Photo Researchers; **76:**(t) C.J. Collins/Photo Researchers; **77:**(b) Peter Menzel; **85:** Richard Hackett; **86:**(l)

Hugh Rogers/Monkmeyer

Preface

Bonjour! *Hello!* You have selected one of the most interesting studies available anywhere—a foreign language. Foreign language study is unique because it focuses not only on written language but also on spoken language. This is a communications course; therefore, *all* means of communication are a part of your study of French. Even gestures and body language play a significant role.

The "mystery" of things foreign is about to be revealed to you. Foreign sounds, foreign symbols, foreign custums, and foreign life-styles are all a part of your foreign language experience. This experience can become one of the most exciting, appealing, and long-lasting of your life.

French is the first language of 60 million people in France and in other parts of the world. It is spoken as a second language by an additional 90 million people, since it is either the official language or one of the official languages of more than 30 countries in Africa, North America, and Europe.

The French language is not new to you. You already know dozens of French words that have entered the English language in the field of fashion

Peter Menzel

(peau de soie, velours, blouson), diplomacy (laissez-faire, coup d'état), food (crêpe, restaurant, croissant), common expressions (R.S.V.P., bon voyage), the arts (ballet, troubadour, palette); and place names (Baton Rouge, Des Moines, Terre Haute).

Many reasons can be given for encouraging you to learn a foreign language, but the most important reason of all is that a foreign language can open doors for you that you didn't know existed. You might choose a career using the language itself. The study of a foreign language may help you to enjoy life even more. You will gain a greater understanding of another culture; you will be able to communicate with the people coming from this culture; you will be able to read the many newspapers, magazines, and books written in the language. Many new facets will be added to your life which would not have been available to you before.

Welcome to a new study, a new language, a new life-style! Carry with you our hopes for success in this endeavor which could change your outlook on life.

Stuart Cohen

about the authors

Jo Helstrom

Mrs. Helstrom is the former Chairperson of the Language Department of the public schools of Madison, New Jersey. She has taught French and Spanish at the junior and senior high school levels. For a number of years she was Lecturer in French at Douglass College, Rutgers, the State University of New Jersey, where she taught methods of teaching French. She has been a Field Consultant in Foreign Languages for the New Jersey State Department of Education and a member of the Executive Committee of the New Jersey Foreign Language Teacher's Association. Mrs. Helstrom was presented the New Jersey Foreign Language Teachers' Association Award for Outstanding Contribution to Foreign language Education. Mrs. Helstrom is co-author of *La France: Une Tapisserie* and *La France: Ses Grandes Heures Littéraires*. She has studied at the Université de Paris and the Universidad Nacional de México and has traveled extensively in France, Mexico, Canada, Puerto Rico, and South America.

Conrad J. Schmitt

Mr. Schmitt was Editor-in-Chief of Foreign Language, ESL, and bilingual publishing with McGraw-Hill Book Company. Prior to joining McGraw-Hill, Mr. Schmitt taught languages at all levels of instruction, from elementary school though college. He has taught Spanish at Montclair State College, Upper Montclair, New Jersey; French at Upsala College, East Orange, New Jersey; and Methods of Teaching a Foreign Language at the Graduate School of Education, Rutgers University, New Brunswick, New Jersey. He also served as Coordinator of Foreign Languages for the Hackensack, New Jersey, Public Schools. Mr. Schmitt is the author of *Schaum's Outline of Spanish Grammar, Schaum's Outline of Spanish Vocabulary, Español: Comencemos, Español: Sigamos,* and the *Let's Speak Spanish* and *A Cada Paso* series. He is also coauthor of *Español: A Descubrirlo, Español: A Sentirlo, McGraw-Hill Spanish: Saludos* and *Amistades, La Fuente Hispana, Le Français: Commençons, Le Français: Continuons,* and *Schaum's Outline of Italian Grammar.* Mr. Schmitt has traveled extensively throughout France, Martinique, Guadeloupe, Haiti, and North Africa.

Contents

Le monde du français

le Canada
le Québec
AMÉRIQUE DU NORD
St-Pierre-et-Miquelon
la Nouvelle-Angleterre
les États-Unis

EUROPE
la Belgique
le Luxembourg
la France
la Suisse
Monaco
la Corse
le Maroc
la Tunisie
l'Algérie
AFRIQUE

OCÉAN ATLANTIQUE

la Louisiane
Haïti
la Guadeloupe
la Martinique
la Guyane française

la Mauritanie
le Mali
le Niger
le Tchad
Djibouti
le Sénégal
le Cameroun
la République Centrafricaine
le Ruanda
OCÉAN INDIEN
les Seychelles
la Guinée
la Côte-d'Ivoire
le Burkina Faso
le Zaïre
le Togo
le Gabon
le Burundi
le Bénin
le Congo

AMÉRIQUE DU SUD

le Madagascar

OCÉAN PACIFIQUE

la Réunion
l'île Maurice

AUSTRALIE
la Nouvelle-Calédonie
la Polynésie française (Tahiti)

OCÉAN PACIFIQUE

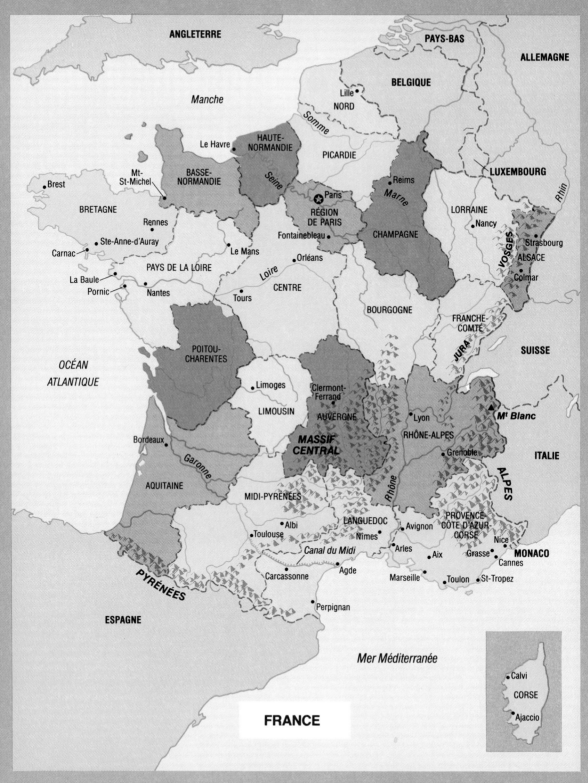

ANGLETERRE

PAYS-BAS

ALLEMAGNE

BELGIQUE

Manche

Lille •
NORD

LUXEMBOURG

Le Havre •
HAUTE-NORMANDIE

PICARDIE

Mt-St-Michel •
BASSE-NORMANDIE

Seine

Somme

Reims •

LORRAINE

Nancy •

Brest •

Paris

Marne

Rhin

BRETAGNE

Rennes •

RÉGION DE PARIS

CHAMPAGNE

Strasbourg •

ALSACE

Ste-Anne-d'Auray •

Fontainebleau •

Carnac

Le Mans •

Orléans •

BOURGOGNE

Colmar •

VOSGES

PAYS DE LA LOIRE

Loire

CENTRE

FRANCHE-COMTÉ

La Baule •

Nantes •

Tours •

JURA

SUISSE

Pornic •

OCÉAN ATLANTIQUE

POITOU-CHARENTES

Limoges •

Clermont-Ferrand •

Lyon •

Mt Blanc ▲

LIMOUSIN

AUVERGNE

RHÔNE-ALPES

ITALIE

ALPES

Bordeaux •

MASSIF CENTRAL

Grenoble •

Garonne

Rhône

AQUITAINE

MIDI-PYRÉNÉES

LANGUEDOC

PROVENCE-CÔTE D'AZUR-CORSE

Albi •

Avignon •

Nice •

Toulouse •

Nîmes •

Aix •

Grasse •

MONACO

Canal du Midi

Arles •

Cannes

Carcassonne •

Agde •

Marseille •

Toulon •

St-Tropez

PYRÉNÉES

Perpignan •

ESPAGNE

Mer Méditerranée

Calvi •

CORSE

FRANCE

Ajaccio •

McGRAW-HILL

French

rencontres
first part

LEÇON **A** Salut!

PRÉLIMINAIRE

Assign each student in the class a French name.

Activité 1

Say "hello" to your friends seated near you. Use their French names when you address them.

Have students look at one another.

Activité 2

Say "hi" to several of your friends. Use their French names.

Voilà M. Le Grand.

Voilà Mlle Dumas.

Voilà Mme Papineau.

2

Note

French speakers tend to be slightly more formal when addressing one another than we are here in the United States. Among friends, the informal greeting **Salut!** is used frequently. When young people address adults, however, they use the more formal **Bonjour!** with the person's title: **monsieur, mademoiselle,** or **madame.** The title is usually used without the person's family name.

Activité 3

Say "hello" to each of your teachers using his/her appropriate title.

Activité 4

Which greeting is being used in the photographs? **Bonjour** or **Salut?**

LEÇON **B** Ça va?

PRÉLIMINAIRE

Note

In the French-speaking world, people tend to shake hands far more frequently than we do here in the United States. People will often shake hands when they meet and again when they take leave of one another. Female friends usually greet each other with a kiss on both cheeks. A boy and girl who are friends will also greet each other this way.

Activité 1

These exercises can be done with the entire class or with students working in pairs.

Say "hi" to several friends in class. Use their French names.

Activité 2

Choose friends in your class and ask them how things are going.

Activité 3

Make up a short conversation with a classmate. Say "hi" to each other, ask how things are going, and respond that things are going very well or not so badly.

Some students may present their conversation to the class.

LEÇON C Au revoir!

PRÉLIMINAIRE

In English we use one of several expressions when we take leave of a person. We may use the more formal "good-bye," or we may say "So long. I'll be seeing you." We have the same option in French.

Formal	Informal
Au revoir!	**À bientôt.**

Another frequently used expression is **À tout à l'heure! À tout à l'heure** is used when you know that you will be seeing the person again in a very short time that same day.

Activité 1

Students can work in pairs.

Say "hi" to several of your friends.

Activité 2

Ask a friend in class how things are going. Have him/her answer you.

Activité 3

Say "good-bye" to a friend.

Activité 4

Tell a friend you'll be seeing her/him.

Activité 5

Tell a friend you'll be seeing him/her very soon.

Activité 6

What do you think the people in the photographs are saying to each other?

More able students can present a complete conversation to the class—from greeting to farewell.

Activité 1

Ask a friend in class who someone else is.

Activité 2

Introduce one friend to another friend.

Activité 3

Ask a friend how things are going.

Activité 4

Make up a conversation with a classmate.

1. Say "hi" to your friend.
2. Ask your friend who someone else is.
3. Let your friend introduce you to the new person.
4. Say "hello" to the new person.
5. Ask her/him how things are going.
6. Say "good-bye" to each other.

Students can work in pairs, or the conversation can be dramatized in front of the class.

Les nombres

Les nombres 1–69

1	un	11	onze	21	vingt et un	31	trente et un
2	deux	12	douze	22	vingt-deux	32	trente-deux
3	trois	13	treize	23	vingt-trois		
4	quatre	14	quatorze	24	vingt-quatre	40	quarante
5	cinq	15	quinze	25	vingt-cinq		
6	six	16	seize	26	vingt-six	50	cinquante
7	sept	17	dix-sept	27	vingt-sept		
8	huit	18	dix-huit	28	vingt-huit	60	soixante
9	neuf	19	dix-neuf	29	vingt-neuf		
10	dix	20	vingt	30	trente		

Note

Note that in the numbers **21, 31,** etc., the word **et** is used. With the numbers **2** through **9**, a hyphen is used.

quarante et un　　**quarante-deux**
cinquante et un　　**cinquante-trois**

The grading system in French schools is explained in a later lesson. You may wish to explain, however, that French students are graded on a scale of 20.

Activité 1

Here's a batch of test papers. What grades did the students receive?

Marcelle Devenet 12

Jean-Luc Godard 17

André Penault 11

Adrienne Beauchamp 19

Armand Cousteau 15

Sabine Talon 13

Activité 2

Quel nombre est-ce?

1.	7	6.	16
2.	14	7.	54
3.	4	8.	29
4.	18	9.	65
5.	3	10.	42

Les nombres 70–99

After the number **69,** French speakers do a little arithmetic as they count. Observe the following.

70	soixante-dix	80	quatre-vingts	90	quatre-vingt-dix
71	soixante et onze	81	quatre-vingt-un	91	quatre-vingt-onze
72	soixante-douze	82	quatre-vingt-deux	92	quatre-vingt-douze
73	soixante-treize	83	quatre-vingt-trois	93	quatre-vingt-treize
74	soixante-quatorze	84	quatre-vingt-quatre	94	quatre-vingt-quatorze
75	soixante-quinze	85	quatre-vingt-cinq	95	quatre-vingt-quinze
76	soixante-seize	86	quatre-vingt-six	96	quatre-vingt-seize
77	soixante-dix-sept	87	quatre-vingt-sept	97	quatre-vingt-dix-sept
78	soixante-dix-huit	88	quatre-vingt-huit	98	quatre-vingt-dix-huit
79	soixante-dix-neuf	89	quatre-vingt-neuf	99	quatre-vingt-dix-neuf

The number **80** takes an **-s** when it stands alone: **quatre-vingts.** When followed by another number, it does not take an -s: **quatre-vingt-six.**

Activité 3

Quel nombre est-ce?

1. 74	5. 98	9. 80
2. 88	6. 82	10. 90
3. 71	7. 95	
4. 93	8. 79	

Option: You may want to delay teaching the higher numbers and present several numbers as you are teaching subsequent lessons.

Les nombres 100–999

100	cent	101	cent un
200	deux cents	202	deux cent deux
300	trois cents	303	trois cent trois
400	quatre cents	404	quatre cent quatre
500	cinq cents	505	cinq cent cinq
600	six cents	606	six cent six
700	sept cents	707	sept cent sept
800	huit cents	808	huit cent huit
900	neuf cents	909	neuf cent neuf

Game: Have student go to board and write any number. Student can call on a colleague to give the number in French.

Note

When no other number follows **cent**—such as **deux cents, trois cents,** etc.—the word **cent** takes an **-s.** When it is followed by another number, however, there is no **-s.**

deux cent trois
trois cent quatre-vingts

Activité 4

Quel nombre est-ce?

1. 300
2. 108
3. 425
4. 650
5. 841
6. 275
7. 590
8. 736
9. 150
10. 999

Note

When giving a telephone number, French speakers will frequently break the number as follows:

734-25-60
sept cent trente-quatre, vingt-cinq, soixante

Activité 5

Give your telephone number in French.

Activité 6

Here are some numbers from the **Guide téléphonique de Paris.** Give the numbers highlighted in blue.

...em Perr... ...02.0...
...MERCE - - - - - - - (6)901.12.51
...AU 61 rte Orléans - - - - - - (6)901.23.05
...AU J ruelle des Bois - - - -

...ILLEAU JACQUES
LE 3 ÉTOILES DU LUMINAIRE - - - - - *(6)901.12.51
61 Rte Orléans - - - - - - - (6)901.68.92
CAILLET René 14 r Saulx - - - -
CAISSE EPARGNE PRÉVOYANCE
8 pl Marche - - - - - - - - - - (6)901.25.57
CAISSE NATIONALE D'EPARGNE
ET CHÈQUES POSTAUX (PTT)
- - - - - - - - - - - - - - - - - - (6)901.01.97
bd Mouchy - - - - - - - - - - (6)901.86.65
CALIE Jean-Michel 5 r Nozay - - - - (6)901.83.68
CALLIGARO Rosine 5 r Pichots - - - - (6)901.83.11
CALVEZ Ludivine 3 r Bordet - - - - (6)901.71.96
CAMILO Antonio r Bourguignons - - - (6)490.92.16
CAMP MILITAIRE quart St Eutrope - - (6)901.54.07
CAMPION Jean-Pierre 63 rte Sablons - (6)901.64.90
CANALE Joseph 32 r Nozay - - - - (6)449.04.66
CANELAS José 35 pl Paix - - - - (6)901.01.25
CANNET R 18 r Christophe Desaulx - (6)901.18.31
CANTELOUP H 20 all Pommiers - - - (6)901.82.45
CAPETTE Alain 3 all Maraichers - - - (6)901.78.83
CAPETTE Christine 8bis r Maillé
CAPICCHIONI Armelle - - - - - - (6)901.11.94
13 r Christpophe de Saulx - - - (6)449.03.39
...r Maillé - - - - (6)901.87.66

...3 r P...
BEREAUX Lucie 16 Grande - - - (6)449.0...
BERGERAT MONNOYEUR
CATERPILLAR
DÉPARTEMENT MOTEURS - - - - *(6)901.52.15
r Longpont - - - - - - - - (6)901.45.01
BERGOUIGNAN Claude 2 chem Justice (6)901.44.04
BERGOUIGNAN JF chem Voirie - - - (6)901.88.89
BERNARD Dominique 8 r Plaine - - (6)901.16.60
BERNARD Lucie 60 r Pichots - - - (6)901.06.18
BERNEUIL A 93 chem Moulin à Vent - (6)901.09.61
BERTANI A 47 rte Nozay - - - - (6)901.88.52
BERTANI Aimé 53 rte Templiers
BERTANSETTI Jacques - - - - - (6)901.65.84
17 r Ernest Chesneau - - - - (6)901.08.63
BERTANSETTI Marie 101 rte Orléans - (6)901.15.98
BERTANSETTI Patrick 3 r Bordet - - (6)901.03.39
BERTAUX 12 rté Orléans - - - - (6)901.05.92
...THELOT D 7 r Luisant - - - (6)901.83.32
...bd Mouchy - - - (6)901.17.31

F Quelle est la date?

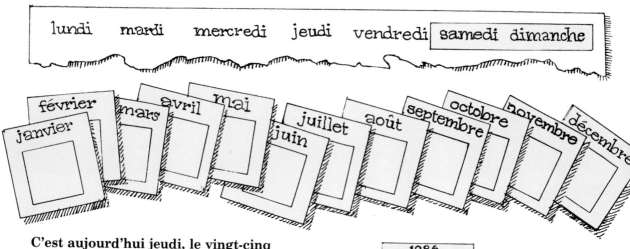

lundi   mardi   mercredi   jeudi   vendredi   samedi   dimanche

février   mars   avril   mai   juin   juillet   août   septembre   octobre   novembre   décembre

janvier

**C'est aujourd'hui jeudi, le vingt-cinq
septembre, dix-neuf cent quatre-vingt-six.**

Start with the actual date on
which you are teaching the lesson.

1986 septembre						
l	m	m	j	v	s	d
1	2	3	4	5	6	7
8	9	10	11	12	13	14
15	16	17	18	19	20	21
22	23	24	25	26	27	28
29	30					

**C'est aujourd'hui lundi, le onze octobre,
dix-neuf cent quatre-vingt-sept.**

1987 octobre						
l	m	m	j	v	s	d
				1	2	3
4	5	6	7	8	9	10
11	12	13	14	15	16	17
18	19	20	21	22	23	24
25	26	27	28	29	30	31

**C'est aujourd'hui samedi, le premier
mai, dix-neuf cent quatre-vingt-six.**

1986 mai						
l	m	m	j	v	s	d
					1	2
3	4	5	6	7	8	9
10	11	12	13	14	15	16
17	18	19	20	21	22	23
24	25	26	27	28	29	30
31						

Note

The numbers you have already learned (*one*, **un;** *two*, **deux;** etc.) are called
the cardinal numbers. Adjectives that are formed from these numbers (such as
first, fourth, tenth) are called ordinal numbers. In French the cardinal numbers
rather than the ordinal numbers are used to give the day of the month. The
only exception is the first of the month, when the ordinal number **premier** is
used.

**le premier janvier, le deux janvier, le trois janvier
le premier octobre, le deux octobre, le trois octobre**

Activité 1

Quelle est la date aujourd'hui?

Give today's date. Include the day, month, and year.

Activité 2

Give the following important dates in French.*

1. December 25, 800
2. July 14, 1789
3. June 18, 1814
4. November 11, 1918
5. August 25, 1944

Option: Have students make up their own important dates.

ℐote

In English we write the date at the top of a letter as follows.

September 25, 1986

In French the place and date would be written:

Paris, le 25 septembre 1986

In both French and English, sometimes numbers alone are used to convey the date. September 25, 1986, would be 9/25/86. Note that in French, however, the day comes before the month. **Le vingt-cinq septembre dix-neuf cent quatre-vingt-six** would be **25/9/86.**

Activité 3

Write the following dates in numbers according to the French system.

1. January 23, 1955
2. November 29, 1968
3. July 12, 1973
4. March 9, 1985
5. October 4, 1989

Option: Have students give each date orally according to the French system.

---

* The following events occurred on these dates: (1) Charlemagne was crowned emperor; (2) storming of the Bastille; (3) Battle of Waterloo; (4) armistice ending World War I; (5) liberation of Paris from the Nazi occupation.

LEÇON G Quelle heure est-il?

PRÉLIMINAIRE

You can have students draw clocks on board and give many different times.

Il est une heure.

Il est deux heures.

Il est trois heures.

Il est quatre heures
moins cinq.

Il est cinq heures
moins dix.

Il est six heures
cinq.

Il est sept heures
vingt.

Il est huit heures
et demie.

Il est neuf heures
et quart.

Il est dix heures
et quart.

Il est onze heures
moins le quart.

Il est midi.   Il est minuit.

Activité 1

Quelle heure est-il?

Il est six heures du matin.

Il est deux heures de l'après-midi.

Il est dix heures du soir.

Activité 2

| **Los Angeles** | **Chicago** | **New York** | **Fort-de-France** | **Paris** |

Il est six heures du matin à Los Angeles.

- Quelle heure est-il à Chicago?
- Quelle heure est-il à New York?

- Quelle heure est-il à Fort-de-France?
- Quelle heure est-il à Paris?

To express at what time something is, the word **à** is used.

À une heure.   **À trois heures et quart.**
À deux heures.   **À cinq heures et demie.**

Activité 3

Read this busy school schedule.

- À quelle heure est la classe de mathématiques?
- À quelle heure est la classe d'histoire?
- À quelle heure est la classe de français?
- À quelle heure est la classe de biologie?
- À quelle heure est la classe d'anglais?
- À quelle heure est la classe de géographie?

The twenty-four hour clock is taught in a later lesson. You may, however, wish to present it at this time.

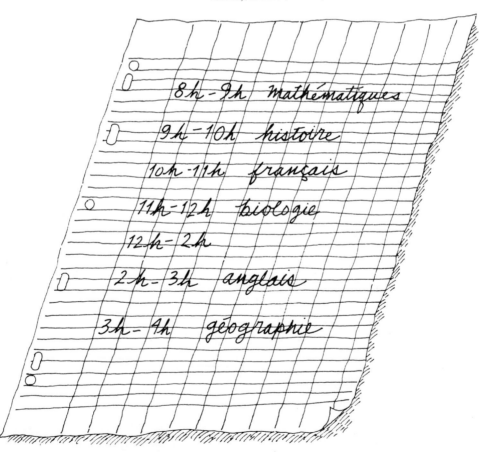

8h - 9h   mathématiques
9h - 10h   histoire
10h - 11h   français
11h - 12h   biologie
12h - 2h
2h - 3h   anglais
3h - 4h   géographie

1 Elle est française!

In this lesson only adjectives with a pronounced final consonant in the feminine are presented to assist students in comprehending the important concept of agreement.

Vocabulaire

Tape Activity 1 **une élève**

un lycée

Have students repeat and read.

Voilà Marie-France Gaudin.
Elle est française.
Elle est élève.
Elle est élève **dans**
un lycée **à** Paris.

Tape Activity 2

Comment est-elle?

Tape Activity 3 **brune**   **grande**   **petite**   **intelligente**

Have students repeat the isolated words.

Exercice 1   Marie-France est française?
Répondez avec *oui*. *(Answer with **oui**.)*

1. Marie-France est française?
2. Elle est brune?   Emphasize **qui** as you ask these
3. Elle est élève?   questions.

Tape Activity 4

4. Elle est intelligente?
5. Elle est grande?

Exercice 2   Qui est française?
Répondez avec *le nom*. *(Answer with the name.)*

1. Qui est française?
2. Qui est brune?

3. Qui est élève?
4. Qui est intelligente?

Options for exercises: 1. Go over exercises orally with books closed. 2. Students can read and answer.
3. Students can write answers at home and go over them the next day.

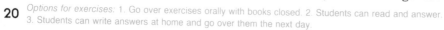

un élève

une école   Tape Activity 5

Voilà Alain Chambers.
Il est américain.
Il est élève dans une école à Chicago.

Tape Activity 6

A complete vocabulary list is provided in the Teacher's Resource Kit.

Comment est-il?

blond

grand   **petit**

intelligent

Tape Activities 7–8

Exercice 3 **Alain est américain?**
Répondez avec *oui*. *(Answer with* **oui.***)*   Tape Activity 9

1. Alain Chambers est américain?
2. Il est blond?
3. Il est élève?

4. Il est intelligent?
5. Il est élève dans une école américaine?

Exercice 4 **Qui est américain?**
Répondez avec le nom. *(Answer with the name.)*

1. Qui est américain?
2. Qui est blond?

3. Qui est élève?
4. Qui est intelligent?

Structure

Les articles définis *le, la, l'*

The name of a person, place, or thing is a noun. Every French noun has a gender, either masculine or feminine. A definite article (*the* in English) often accompanies a noun. Study the following examples.

la fille	**le garçon**	**l'élève**
	le lycée	**l'école**

Note that:

The definite article **la** accompanies a feminine noun.

The definite article **le** accompanies a masculine noun.

The definite article **l'** accompanies a masculine or feminine noun that begins with a vowel. The vowels are **a e i o u.**

Options:
1. Go over exercise in class. 2. Have students write exercise at home. 3. Correct exercise in class.

Exercice 1   Un garçon et une fille

Complétez avec *le, la* ou *l'*. *(Complete with **le, la,** or **l'**.)*

1. _____ garçon est américain.
2. _____ fille est française.
3. _____ garçon est blond et _____ fille est brune.
4. _____ fille est grande et _____ garçon est grand aussi.
5. _____ élève est petit.
6. _____ élève est intelligent aussi.
7. _____ lycée Duhamel est à Paris.
8. _____ école William Howard Taft est à Chicago.

Tape Activity 10

Expansion: One student reads entire exercise. A very able student retells all the information in the story in his/her own words.
   Students can make up and answer questions about the information in the story of the exercise.

Workbook Exercise E

22

Administer Quiz 2.

Les articles indéfinis *une, un*

The English word *a* (*an*) is an indefinite article. In French the indefinite article **une** accompanies a feminine noun, and the indefinite article **un** accompanies a masculine noun. Observe the following.

une fille	**un garçon**
une élève	**un élève**

Exercice 2   Alain et Marie-France

Complétez avec *une* ou *un*. *(Complete with **une** or **un**.)*

1. Alain Chambers est _____ garçon.
2. Marie-France est _____ fille.
3. Alain est _____ garçon américain et Marie-France est _____ fille française.
4. Le lycée Duhamel est _____ lycée français.
5. Marie-France est élève dans _____ lycée à Paris.
6. L'école William Howard Taft est _____ école américaine.
7. Alain est élève dans _____ école à Chicago.

Workbook Exercise F
Tape Activity 11
Administer Quiz 3.

L'accord des adjectifs au singulier

A word that describes a noun is an adjective. Study the following sentences. The words in bold type are adjectives.

La fille est **française.**	Le garçon est **français.**
Marie-France est **intelligente.**	Alain est **intelligent.**

In French an adjective must agree with the noun it describes or modifies. If the noun is masculine, then the adjective must be in the masculine form. If the noun is feminine, the adjective must be in the feminine form.

une fille blonde	**un garçon blond**

Feminine adjectives end in **-e.** When the **-e** follows a consonant, the consonant is pronounced.

Many masculine adjectives end in a consonant. Since the consonant is not followed by an **e** in the masculine form, the final consonant is not pronounced. For example, the **s** is pronounced in the word **française** (feminine) but not in the word **français** (masculine).

Certain feminine adjectives end in **-ne,** such as **brune.** The **n** is pronounced in these words. The masculine form is written without the **e,** and the vowel that goes before the **n** is nasal.

une fille brune	**un garçon brun**

Exercice 3   Féminin et masculin

Tape Activity 12

Prononcez. *(Pronounce.)*

1. française, français
2. intelligente, intelligent
3. blonde, blond

4. petite, petit
5. grande, grand
6. brune, brun

23

Exercice 4 Marie-France
Répondez. *(Answer.)*

1. Est-ce que Marie-France Gaudin est française ou américaine?
2. Est-elle brune ou blonde?
3. Est-elle grande ou petite?
4. Est-elle élève dans un lycée ou dans une école américaine?

Exercice 5 Deux élèves
Complétez. *(Complete.)*

Expansion: Have students make up their own questions with **qui.** They can call on colleagues to give responses. Students can also do this activity working in pairs.

1. Marie-France Gaudin est _____ . **français**
2. Alain Chambers est _____ . **américain**
3. Marie-France est _____ . **intelligent**
4. Elle est _____ . **brun**
5. Alain Chambers est _____ aussi. **intelligent**
6. Il est _____ . **blond**
7. Marie-France est _____ et Alain est _____ aussi. **grand**

Tape Activity 13   Administer Quiz 4   Workbook Exercises G–J

La position des adjectifs

Note that unlike English adjectives, many French adjectives follow the noun they modify.

Alain est un garçon américain.
La fille brune est française.

Exercice 6 Un Américain et une Française
Mettez la forme convenable de l'adjectif dans la phrase. *(Put the correct form of the adjective in the sentence.)*

1. Le garçon est américain. **brun**
2. La fille est française. **brun**
3. Le lycée Duhamel est un lycée à Paris. **français**
4. L'école William Howard Taft est une école
   à Chicago. **américain**

Prononciation

Les lettres muettes

In certain English words there are letters that are not pronounced. Tape Activities 14–15

often
although
night

In French, too, there are silent letters.

Final *e*	Most final consonants
madamé	Gilbert
Marié	salut
Jacqueliné	bientôt
Francé	là-bas
quatré	deux
onzé	Leclerc
douzé	Legrand

Careful! There are some exceptions. Very often the final *c, r, f,* or *l* is pronounced. Other final consonants are occasionally sounded.

parc   avril
Luc   cinq
bonjour   six
cher   dix
neuf   sept
œuf   mars
mal

ℒecture culturelle

Options for Lecture:
1. Have class repeat after you.
2. Ask questions about each paragraph.
3. Call on individuals to read.
4. Assign Lecture and Exercice to be done at home.

Marie-France Gaudin

Marie-France Gaudin est une fille française. Elle est brune. Marie-France est élève. Elle est élève dans un lycée à Paris. Elle est très° intelligente.

Alain Chambers est un garçon américain. Il est blond. Il est très° grand. Alain est élève. Il est élève dans une école à Chicago.

Exercice   Choisissez. *(Choose.)*

1. Marie-France est _____ .
   a. une fille
   b. un garçon
   c. américaine

2. Elle est _____ .
   a. blonde
   b. brune
   c. américaine

3. Elle est élève _____ .
   a. dans une école américaine
   b. dans un lycée à Chicago
   c. dans un lycée à Paris

4. Alain Chambers est _____ .
   a. français
   b. américain
   c. petit

5. Il est _____ .
   a. brun
   b. blond
   c. petit

6. Il est _____ .
   a. élève
   b. élève dans un lycée à Paris
   c. très brun

°**très**   *very*

Activités

Optional

1 Here is Jean-Claude. He is a French student from Paris. Tell all you can about him.

Encourage students to say as much as they can on their own.

2 Here is Debora Andrews. She is an American student from Miami. Tell all you can about her.

More able students can tell the two stories together in their own words by contrasting Jean-Claude and Debora.

27

galerie vivante

Voici Jean-Luc Duval.
Il est français.
Il est élève dans un lycée à Paris.
Est-il intelligent?

Voici Louis Berthollet.
Louis est élève au lycée Jeanne d'Arc aussi.
Il est très intelligent.
Est-ce que Louis est français ou américain?

Voici Catherine Roissy.
Elle est française.
Elle est élève au lycée Jeanne
d'Arc.
Le lycée Jeanne d'Arc est à
Rouen.
Est-ce que Catherine est blonde
ou brune?

Voici le lycée Arago.
Le lycée Arago est à
Perpignan.
Est-ce que le lycée
Arago est grand ou
petit?

2 Je suis Nicole

Tape Activity 1 **un ami** **une amie**

Have a student take the part of Nicole and read this to class.

Bonjour, **tout le monde.**
Je suis Nicole Toussaint.
Je suis française.
Je suis **de** Paris.

Expansion: Have students change what Nicole says and talk about themselves.

contente

triste

Tape Activities 2–3

30

Note

As you continue with your study of French you will be amazed at how many French words you already know or whose meaning you can guess. Do you have any trouble understanding these words?

Voilà Alain. Comment est-il?

Have students pronounce the cognates carefully. They will probably anglicize the pronunciation.

Il est **intelligent, intéressant, sincère, fantastique, magnifique, populaire.**   Tape Activity 4

Words such as those above that look alike and mean the same thing in both languages are called cognates. Be careful, however. Although they look alike and mean the same thing in both languages, they are pronounced differently in each language.

There are also many French words for which there is no exact translation. Such a word is **sympathique.** This word has no exact English equivalent. It has the meanings *nice, pleasant, warm, friendly,* all conveyed in one word.

Expansion: Explain to students that many words do not have a precise meaning in English either. What does "nice" mean in the following sentences? It's a nice day. He/she is nice. It's a nice house. That's a nice job. That's a nice idea.

Exercice 1   Nicole   Tape Activity 5
Répondez. *(Answer.)*

1. Est-ce que Nicole est française?
2. Est-elle de Paris?
3. Est-ce que Nicole est une amie de Marie-France?
4. Est-elle sympathique?
5. Est-elle sincère aussi?

Expansion: Have students personalize and tell who they are a friend of. **Je suis un(e) a mi(e) de _____.**

Exercice 2   Marie-France
Voilà Marie-France, l'amie de Nicole Toussaint. Comment est-elle?

1. Elle est _____ .
2. Elle est _____ .
3. Elle est _____ .
4. Elle est _____ .
5. Elle est _____ .

Expansion: Have students make up questions with **qui** *and* **comment** *using classmates.*

Exercice 3   Personnellement
Complétez. *(Complete.)*

Je suis _____ . *(name)*
Je suis _____ . *(nationality)*
Je suis de _____ . *(place)*
Je suis _____ . *(student)*

Workbook Exercises A–D
Tape Activity 6

Structure

Le verbe *être* au singulier

The verb *to be* in French is **être.** Study the singular forms of the verb **être** in the present tense.

Infinitive	être
Singular	je suis
	tu es
	il est
	elle est

Exercice 1   Alain et Nicole

Tape Activity 7

Pratiquez la conversation. *(Practice the conversation.)*

Alain   Qui es-tu?
Nicole   Moi, je suis Nicole. Nicole Toussaint.
Alain   Es-tu américaine, Nicole?
Nicole   Non, je ne suis pas américaine. Je suis française. Tu es américain, n'est-ce
             pas?
Alain   Oui, je suis américain. Je suis de Chicago.

The purpose of this mini-conversation is to permit students to hear, see, and use the singular forms of the verb **être** in context before they use them on their own.

Students can (1) read the conversation, (2) go over it orally, (3) present it to class, (4) work in pairs.

Tape Activity 8

Exercice 2   Une interview

Répondez avec *je suis*.   *(Answer with *je suis*.)*

1. Es-tu américain(e) ou français(e)?
2. Es-tu brun(e) ou blond(e)?
3. Es-tu petit(e) ou grand(e)?

4. Es-tu élève dans un lycée ou dans une école américaine?
5. Es-tu un(e) ami(e) de _____?

Expansion: Have one or more students answer all the questions. In so doing they will give a unified description of themselves.

Exercice 3   Mais non!

Répondez avec *Non, je ne suis pas*.   *(Answer with *Non, je ne suis pas*.)*

1. Es-tu français(e)?
2. Es-tu élève dans un lycée français?

3. Es-tu de Paris?
4. Es-tu un(e) ami(e) de Victor Hugo?

Expansion: Non, je ne suis pas français(e).
Je suis américain(e).

Exercice 4   Jean-Claude

Here's a photograph of Jean-Claude. He is from Lyon, in France. Ask him if he is:

français
Jean-Claude, es-tu français?

1. français
2. blond
3. élève
4. de Lyon
5. élève dans un lycée à Lyon

Exercice 5 Ginette

Workbook Exercises D–F

Expansion: Have students ask Ginette any question they can.

Here's a photograph of Ginette. She is from Nice. Ask her if she is:

1. américaine
2. française
3. élève
4. de Nice
5. une amie de Marie-France

Expansion game: Have one student take the role of Ginette. Another is an interviewer. Have interviewer ask Ginette any question possible. Ginette answers as if she were on radio.

Exercice 6 Nicole Toussaint

Complétez avec la forme convenable du verbe *être*. *(Complete with the correct form of the verb **être**.)*

1. Je _____ Nicole Toussaint.
2. Je _____ française.
3. Je _____ une amie de Marie-France.
4. Elle _____ élève, et moi aussi je _____ élève.
5. Marie-France _____ une amie très sincère.
6. Elle _____ sympathique.
7. Elle _____ très intelligente.
8. Moi aussi, je _____ intelligente.
9. Tu _____ intelligent(e) aussi, n'est-ce pas?
10. _____-tu élève?
11. Tu _____ blond(e) ou brun(e)?

Administer Quiz 1.

La négation *ne... pas*

Tape Activity 11

The sentences in the first column are in the affirmative. The sentences in the second column are in the negative.

Affirmative (Yes)	Negative (No)
Je suis américain.	Je ne suis pas français.
Tu es blond.	Tu n'es pas brun.
Il est grand.	Il n'est pas petit.
Elle est française.	Elle n'est pas américaine.

Tape Activity 12

A statement is made negative by placing **ne** before the verb and **pas** after the verb.

Je <u>ne</u> suis <u>pas</u> français.

Ne becomes **n'** before a vowel:

Il <u>n'</u>est <u>pas</u> américain.

Exercice 7   Elle n'est pas américaine!

Écrivez à la forme négative. *(Write in the negative.)*

1. Marie-France est américaine.
2. Elle est élève dans une école américaine à New York.
3. Elle est de New York.
4. Moi, je suis français(e).
5. Je suis élève dans un lycée à Paris.
6. Tu es français?

Exercice 8   Marie-France est française!

Écrivez à la forme négative et complétez. *(Write in the negative and complete.)*

1. Marie-France est américaine.
   Elle est _____ .
2. Elle est élève dans une école américaine.
   Elle est élève dans _____ .
3. Elle est de New York.
   Elle est de _____ .
4. Moi, je suis français(e).
   Je suis _____ .
5. Je suis triste.
   Je suis _____ .
6. Je suis élève dans un lycée à Paris.
   Je suis élève dans une _____ .

Workbook Exercises G–H
Tape Activity 13

L'interrogation

You have already encountered three ways of forming a question in French. One way is by intonation. You merely raise the tone of your voice at the end of the sentence.

> **Marie-France est française?**
> **Il est français aussi?**

Another way to form a question in French is to put **est-ce que** before the statement. Note that **est-ce que** becomes **est-ce qu'** before a vowel.

> **Est-ce que Marie-France est française?**
> **Est-ce qu'elle est grande?**

The third way of forming a question is to add **n'est-ce pas?** to the statement. When you use **n'est-ce pas,** you are really asking for confirmation of the statement. In the following sentences, **n'est-ce pas** is equivalent to the English *isn't she?* and *aren't you?*

> **Marie-France est française, n'est-ce pas?**
> **Tu es américain, n'est-ce pas?**

There is a fourth way of forming a question. It is less frequently used in spoken French than intonation and **est-ce que.** It is called inversion. Look at the word order in the following sentences.

Statement	Question
Il est français.	**Est-il français?**
Elle est grande.	**Est-elle grande?**
Tu es américaine.	**Es-tu américaine?**

In the question, the subject and verb are inverted, and a hyphen is placed between them.

The **t** of **est** in **est-il** and **est-elle** is pronounced in spoken French because it is followed by a vowel. This is called a *liaison*. In your study of French, you will encounter other instances where a liaison must be made between a consonant and a vowel.

Exercice 9   Des questions
Posez une question. *(Ask a question.)*

Jacques / français
Est-ce que Jacques est français?

1. Marie / américaine
2. François / blond
3. Carole / brune
4. Thomas / intelligent

Exercice 10   Alain et Nicole
Complétez. *(Complete.)*

Alain   Bonjour.
Nicole   Bonjour.
Alain   _____ _____ Nicole Toussaint?
Nicole   Oui, je suis Nicole Toussaint.
Alain   _____ _____ une amie de Marie-France Gaudin?
Nicole   Oui.
Alain   _____ _____ à Paris maintenant?
Nicole   Non, elle n'est pas à Paris. Elle est à Nice. Elle est en vacances.

Workbook Exercises I–J
Administer Quiz 2.
Tape Activity 14

Les adjectifs avec une seule forme

Study the following sentences.

> **Alain Chambers est un garçon très sincère. Il est sympathique.**
> **Marie-France est une fille très sincère. Elle est sympathique.**

Many French adjectives that end in an **-e** have only one singular form. The same form is used with both masculine and feminine nouns.

Exercice 11   Nicole et Paul
Complétez. *(Complete.)*

1. Nicole Toussaint est une amie _____ . Elle est _____ .   **sincère, sympathique**
2. Paul n'est pas _____ . Il est content.   **triste**
3. Un lycée est une école _____ française.   **secondaire**
4. Je suis élève dans une école _____ américaine.   **secondaire**

Workbook Exercise K
Administer Quiz 3.

Prononciation

Les lettres *a, e, i, u*

French vowels are shorter and more clearly pronounced than English vowels. When you pronounce **i**, do not add a *y* sound to the end, as one does in the English word *see*.

Tape Activities 15–16

a	e	i	u
ah	le	six	salut
va	Leclerc	Henri	Dumas
la	Legrand	lundi	Luc
madame	revoir	dimanche	duc

Pratique et dictée

Salut, Henri! Ça va?   C'est Luc Dumas.
À lundi, Mme Leclerc.   Au revoir! À lundi!

Expressions utiles

A very useful expression to know in French when you would like to get a friend's attention is **Dis donc!**

When French speakers wish to agree with something that someone has just said, they will very often use the following expressions.

> **C'est vrai.**
> **D'accord. (D'ac.)**
> **C'est l'essentiel.**

When French speakers want to say that something is very nice they will frequently say:

> **Oh là là!**
> **C'est chouette!**

Options: 1. Have students go over the lines of conversation after you or cassette.
2. Have students read conversation both orally and silently.

Conversation

Tape Activities 17–18

Alain et Nicole

Alain	Bonjour. Tu es Nicole Toussaint?
Nicole	Oui, je suis Nicole Toussaint. Tu es Alain, n'est-ce pas?
Alain	Oui, je suis Alain Chambers.
Nicole	Tu es l'ami américain de Marie-France Gaudin?
Alain	Oui. Elle est très sympa, n'est-ce pas?
Nicole	Je suis complètement d'accord. Elle est formidable.

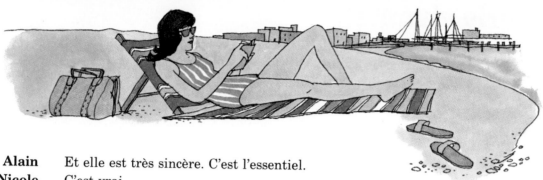

Alain	Et elle est très sincère. C'est l'essentiel.
Nicole	C'est vrai.
Alain	Dis donc! Est-elle à Paris maintenant?
Nicole	Non, elle est justement à Nice. Elle est en vacances.
Alain	Oh là là! À Nice? C'est très chouette.

Exercice   Répondez. *(Answer.)*

1. Est-ce que Nicole Toussaint est française?
2. Alain Chambers, est-il français aussi?
3. Qui est l'ami américain de Marie-France?
4. Qui est très sympa?
5. Est-ce que Nicole est d'accord?
6. Est-ce que Marie-France est à Paris maintenant?
7. Est-elle en vacances à Nice?

Activités

Optional

Tape Activities: *Deuxième Partie*
Workbook Exercises: *Un peu plus*

1 You have just received this photo from your new pen pal in France. Write her a letter in French. Tell her who you are, your nationality, where you are from, and where you are a student. Give a brief description of yourself.

2 Look at the photograph of this boy. Ask him as many questions about himself as you can.

A lesson test appears in the accompanying test package.

galerie vivante

Bonjour, tout le monde.
Je suis Thérèse Poireau.
Je suis de Paris.
Je suis française.
Est-ce que tu es américain(e)?

Bonjour.
Je suis Philippe Michelet.
Moi aussi, je suis de Paris.
Je suis un ami de Thérèse.
Est-ce que tu es un(e) ami(e)
de Thérèse?

Bonjour.
Je suis Arlette Picard.
Je suis française aussi.
Mais je ne suis pas de Paris.
Je suis de Rouen.
Es-tu de Rouen?
Non?
D'où es-tu alors?

Salut!
Je suis Henri Garnier.
Je suis de Lyon.
Je suis élève dans un lycée à Lyon.
Es-tu élève dans une école américaine?

Bonjour.
Je suis Charles Caumartin.
Je suis de Fort-de-France.
Je suis martiniquais.

Bonjour.
Je suis Claudine Lanier.
Je ne suis pas française.
Je suis de Québec.
Je suis canadienne.

3 Deux copines

vocabulaire

les sœurs

Tape Activity 1

les copines

Tape Activity 2

Voilà Marie-France et Thérèse.
Les deux filles **ne sont pas** sœurs.
Elles sont copines.
Elles sont très **enthousiastes pour les sports.**
Elles sont **sportives.**

forte

faible

Tape Activity 3

A vocabulary list is provided in the
Teacher's Resource Kit.

Exercice 1   Marie-France et Thérèse
Répondez. *(Answer.)*   Tape Activity 4

1. Est-ce que Marie-France et Thérèse sont sœurs ou amies?
2. Sont-elles très enthousiastes pour les sports?
3. Sont-elles sportives?
4. Sont-elles fortes?

Expansion: Give a complete description of Marie-
France and Thérèse. Have students use all the
adjectives they know.

Expressions utiles

You have already learned several expressions that French speakers use when they agree with something that has just been said. When they disagree with something that has just been said, they are apt to use the following expressions.

Mais non.
Pas du tout.
Au contraire.

Tape Activity 5

In order to request a clarification of the disagreement and to find out what the other person thinks, French speakers will frequently ask:

Alors?

Exercice 2   Sont-elles blondes?

Répondez d'après le modèle.   *(Answer according to the model.)*

Tape Activities 6–7

Sont-elles blondes?
Mais non. Pas du tout. Au contraire.

Alors? Comment sont-elles?
Elles sont brunes.

1. Sont-elles petites?
2. Sont-elles faibles?
3. Sont-elles tristes?
4. Sont-elles brunes?

les frères

les copains

Voilà Jean-Claude et Paul. Les deux garçons ne sont pas frères. Ils sont copains. Ils sont très enthousiastes pour les sports. Ils sont sportifs. Ils sont très forts. Ils ne sont pas faibles.

Have students read the paragraph aloud. All words have already been presented.

Exercice 3 Jean-Claude et Paul

Tape Activity 10

Répondez. *(Answer.)*

1. Les deux garçons sont frères?
2. Sont-ils copains?
3. Sont-ils très enthousiastes pour les sports?
4. Sont-ils forts ou faibles?

Exercice 4 Comment sont-ils?

Tape Activity 11

Répondez. *(Answer.)*

1. Sont-ils faibles? Non. Alors? Comment sont-ils?
2. Sont-ils blonds? Non. Alors? Comment sont-ils?
3. Sont-ils petits? Non. Alors? Comment sont-ils?

Exercice 5 Une conversation

Conversez d'après le modèle. *(Converse according to the model.)*

Sont-ils faibles?
Qui? Jean-Claude et Paul? Mais non.
  Pas du tout. Au contraire.

In addition to having students prepare a very natural, flowing conversation, this exercise gives practice with antonyms.

Alors? Comment sont-ils?
Ils sont très forts.

1. Sont-ils faibles?
2. Sont-ils petits?
3. Sont-ils blonds?
4. Sont-ils tristes?

Workbook Exercises A–D
Tape Activity 12
Administer Quiz 1.

Structure

Les noms et les pronoms au pluriel

Most nouns in French are made plural by adding an **-s** to the singular form. The **-s** is not pronounced. Look at the following words.

Singular	Plural
le garçon	les garçons
la fille	les filles
l'ami	les amis
l'amie	les amies

Tape Activity 13

The plural form of the definite articles **le, la,** and **l'** is **les.** The final **-s** of **les** is pronounced /z/ when followed by a vowel. This is another example of liaison.

A pronoun is a word that replaces a noun.

	Noun	Subject pronoun
Masculine singular	Jean le garçon le lycée	il
Feminine singular	Marie-France la fille l'école	elle
Masculine plural	Paul et Jean-Claude les garçons les lycées	ils
Feminine plural	Thérèse et Marie-France les filles les écoles	elles

When both a masculine and a feminine noun are the subject, **ils** is used as the subject pronoun.

> **Paul et Marie-France sont élèves.**
> **Ils sont amis.**

When speaking about more than one person, the plural form of the verb **être** is used: **ils sont** or **elles sont.**

> **Les deux garçons sont copains.**
> **Ils sont copains.**

> **Marie-France et Thérèse sont copines.**
> **Elles sont copines.**

In the inverted question (interrogative) form, liaison is made and the **t** is pronounced.

> **Sont‿ils copains?**
> **Sont‿elles copines?**

Call on one student
to read the exercise to
tell a story about
les frères de Louis.

Exercice 1 Comment sont-ils?

Complétez avec l'article défini. *(Complete with the definite article.)*

1. _____ deux frères de Louis sont blonds.
2. Mais au contraire, _____ deux sœurs de Louis sont brunes.
3. _____ copains de Louis sont très enthousiastes pour _____ sports. Ils sont sportifs.
4. _____ deux garçons ne sont pas du tout faibles. Au contraire, ils sont forts.

Exercice 2 **Deux filles et deux garçons**
Complétez. *(Complete.)*

This exercise is quite challenging. Students must determine whether to use an article, pronoun, or verb form.

1. Marie-France et Thérèse sont _____ .
2. _____ deux filles sont françaises.
3. _____ sont élèves dans un lycée.
4. Les deux copines _____ très enthousiastes pour les sports.
5. _____ sont très fortes et elles _____ intelligentes aussi.
6. Alain et Robert ne _____ pas français. _____ sont américains.
7. Les deux _____ sont élèves dans une école secondaire américaine.
8. _____ sont très enthousiastes pour les sports.
9. Les deux copains _____ grands, forts et intelligents.

Workbook Exercises F–G
Tape Activity 14
Administer Quiz 2.

L'accord des adjectifs au pluriel

Study the following sentences.

> **Les deux filles sont américaines.**
> **Les garçons aussi sont américains.**
> **Les deux filles sont très sympathiques.**
> **Les garçons aussi sont très sympathiques.**

To form the plural of most French adjectives, an **-s** is added to the masculine or feminine singular form. This **-s** is not pronounced.

Note that if an adjective already ends in **-s,** such as **français,** no additional **-s** is added for the masculine plural.

> **Les deux garçons français sont très enthousiastes pour les sports.**

If an adjective modifies both a feminine and a masculine noun, the adjective is in the masculine plural.

> **Alain et Nathalie sont américains.**

Exercice 3 **Deux copines et deux copains**
Complétez. *(Complete.)*

1. Les deux copines sont _____ . **français**
2. Elles sont très _____ pour les sports. **enthousiaste**
3. Elles sont très _____ et elles sont aussi très _____ . **intelligent, sympathique**
4. Voilà Paul et Robert. Les deux copains ne sont pas _____ . Ils sont _____ . **français, américain**
5. Ils sont élèves dans une école secondaire américaine. Les deux garçons sont très _____ . **intelligent**
6. Ils sont aussi très _____ . **fort**
7. Les deux garçons sont très _____ pour les sports. **enthousiaste**
8. Ils sont très _____ . C'est l'essentiel! **sincère**

44

Exercice 4 Comment sont les filles?
Décrivez les deux filles. *(Describe the two girls.)*

1. _____
2. _____
3. _____
4. _____

Exercice 5 Comment sont les garçons?
Décrivez les deux garçons. *(Describe the two boys.)*

1. _____
2. _____
3. _____
4. _____

Workbook Exercises H–I
Tape Activity 15
Administer Quiz 3.

𝒫rononciation   **Les sons *an, on, un***

Nasal vowels do not exist in English. They are formed by letting air go out through the mouth and the nose at the same time.

an	**on**	**un**
France	bonjour	un
étudiant	blond	brun
dans	garçon	lundi
grand	montre	

Tape Activities 16–17

𝒫ratique et dictée

L'étudiant est grand.   Bonjour, Chantal.
Il est en France.   Il est brun.
Le garçon est blond.   C'est lundi.

Workbook Exercise J
Tape Activities 18–19

𝓛ecture culturelle

Deux filles françaises

Marie-France et Thérèse sont deux filles françaises. Elles sont élèves dans un lycée à Paris. Les deux copines sont très intelligentes. Sont-elles faibles? Non, pas du tout. Au contraire! Elles sont sportives. Les deux filles sont très enthousiastes pour les sports. Elles sont aussi très sympathiques et sincères. C'est l'essentiel!

Marie-France n'est pas maintenant à Paris. Où* est-elle alors? Elle est en vacances. Où ça? À Nice. C'est très chouette, n'est-ce pas?

———
* **Où**   *Where*

46

Exercice 1 Complétez. *(Complete.)*

1. Les deux copines ne sont pas américaines. Elles sont _____ .
2. Comment sont-elles? Elles sont _____ et _____ . Et elles sont aussi _____ et _____ . Et c'est l'essentiel.

Exercice 2 Répondez. *(Answer.)*

1. Le lycée de Marie-France et Thérèse n'est pas à Chicago. Où est-il?
2. Marie-France n'est pas à Paris. Où est-elle?
3. Où est-elle en vacances?

Activités Optional

Tape Activities: *Deuxième Partie*
Workbook Exercises: *Un peu plus*

1 Rewrite the story from the **Lecture.** Change **Marie-France et Thérèse** to **Jean-Claude et Gilbert.**

2 Tell all you can about the people in the illustration below.

galerie vivante

Jean-Paul et Richard sont de Cannes. Ils sont copains. Les deux garçons sont sportifs, n'est-ce pas?

Voici le lycée Henri IV à Paris. Les élèves sont dans la cour.

Voici Gilbert et Carole. Les deux élèves sont amis. Sont-ils français? Non, ils ne sont pas français. Ils sont américains.

Gérard est très enthousiaste pour les sports. Il est en vacances près de Marseille. Est-ce que Gérard est faible?

Les copains ne sont pas en classe. Ils sont à Nice. C'est chouette! Sont-ils en vacances?

4 Nous sommes américains

Vocabulaire

Nous sommes américains.
Nous sommes dans **la classe de français.**
Nous sommes très forts **en** français.
Pourquoi pas? Nous sommes très
   intelligents.
Et **de plus,** le français est **assez facile.**
Il n'est **pas du tout difficile.**

Tape Activity 1

Note

   You have already seen that many words in French and English look very much alike. For this reason it is easy to guess their meanings. Such words, you remember, are called cognates.

   To guess the meaning of certain cognates, we must stretch our imaginations a little. As an example, let's look at the French word **facile.** This word also exists in English, but its usage is not very common. Do you happen to know the meaning of the English word *facile*? If you do not, this English word would not assist you in guessing the meaning of the French **facile.** A more commonly used word that is related to *facile* is *facilitate*. To facilitate means *to make easy.* The French word **facile** means *easy.* Its opposite is **difficile.** What does **difficile** mean?

Exercice 1 Comment sont les élèves?

Tape Activity 2

Répondez. *(Answer.)*

1. Est-ce que les élèves sont américains?
2. Sont-ils intelligents?
3. Sont-ils forts en français?
4. Est-ce que le français est facile ou difficile?

Workbook Exercises A–C

Expressions utiles

When French speakers wish to express disbelief of what they have just heard, they may say:

Sans blague!
Ce n'est pas vrai.

Tape Activity 3

In order to reinforce the truth of what has been said, the speaker may say:

C'est vrai.
Incroyable mais vrai.

To disagree with a negative statement, French speakers say: **Mais si.**

Ce n'est pas vrai.
Mais si. C'est vrai.

Exercice 2 Personnellement

Expansion: Have students give a little speech about themselves.

Complete about a friend and yourself.

Je suis *m'appelle* _____ . *(your name)*
Je suis un ami de _____ . *(your friend's name)*
Nous sommes élèves dans la classe de _____ . *(your teacher's name)*
Nous sommes très forts en _____ . *(subject)*
C'est vrai. Incroyable mais vrai.
Mais pourquoi pas? Nous sommes _____ . *(smart)*
Et _____ *(subject)* n'est pas très _____ . Il (Elle) est assez _____ .

Exercice 3 Sans blague!

Tape Activity 4

Conversez d'après le modèle. *(Converse according to the model.)*

Tu es dans la classe de français? Sans
  blague! Ce n'est pas vrai.
Mais si. C'est vrai. Incroyable mais vrai.

1. Tu es dans la classe de français? Sans blague! Ce n'est pas vrai.
2. Tu es fort en français? Sans blague! Ce n'est pas vrai.
3. Tu es dans la classe de _____? Sans blague! Ce n'est pas vrai.
4. Le français est facile? Sans blague! Ce n'est pas vrai.

Structure

Le verbe *être* au présent

You have already learned the singular forms of the verb **être**. Study the plural forms of **être**.

Infinitive	être = to be		
Singular	je suis tu es il est elle est	**Plural**	nous sommes vous êtes ils sont elles sont

Remember to make a liaison when you say **vous êtes**. The **s** in **vous** is pronounced /z/.

Tape Activity 5

Students can practice the mini-conversation from their seats working in groups.

Exercice 1 Dans la classe de français
Pratiquez la conversation. *(Practice the conversation.)*

Nicole Richard et Anne, où êtes-vous?

Anne Où nous sommes? Ici, dans la classe de français.

Nicole Vous êtes dans la classe de français? Sans blague!

Richard Mais bien sûr. Et nous sommes très forts en français.

Exercice 2 Personnellement

Tape Activity 7

Répondez avec *nous sommes*. *(Answer with **nous sommes**.)*

1. Vous êtes élèves?
2. Vous êtes américains?
3. Vous êtes dans la classe de français?
4. Vous êtes forts en français?
5. Vous êtes intelligents?
6. Vous êtes élèves dans une école américaine?
7. Vous êtes dans la classe de Mme (Mlle, M.) _____?

Workbook Exercises D–F

Options for exercises:
1. Go over exercises orally with books closed.
2. Have students read the exercises and respond.
3. Assign the exercises to be written at home.

Exercises 2–4 are learning exercises.

Exercice 3 Des questions

Posez des questions d'après le modèle.
(Ask questions according to the model.)

Paul et Marie / américains
Paul et Marie, êtes-vous américains?

1. Paul et Marie / américains
2. Paul et Marie / dans la classe de Mme (Mlle, M.) _____
3. Paul et Marie / dans la classe de français
4. Paul et Marie / forts en français

Exercice 4 Êtes-vous blonds?

Exercise 5 is a test exercise in which students must use all forms of the verb.

Pick out several friends in class. Ask them questions about themselves using the following words and have them respond.

1. blonds
2. bruns
3. américains
4. français
5. enthousiastes pour les sports
6. élèves
7. contents
8. assez forts en français
9. dans la classe de français

Workbook Exercise G

Exercice 5 Je suis un(e) ami(e) de Jean.

Complétez avec *être*. *(Complete with **être**.)*

1. Je _____ un(e) ami(e) de Jean.
2. Il _____ très sympathique.
3. Nous _____ très enthousiastes pour les sports.
4. Nous _____ élèves dans une école secondaire.
5. Nous ne _____ pas français.
6. Nous _____ américains.
7. _____-vous américains aussi?
8. _____-vous forts en français?
9. Les élèves _____ dans la classe de français.
10. Ils _____ très intelligents.
11. Ils _____ très forts en français.

Tape Activities 8–9
Administer Quiz 1.

Tu et vous

In French there are two ways to say *you*. **Tu** is used only when addressing someone you know very well. You would use **tu** with a close friend, a classmate, a family member, or a child. For this reason **tu** is called the familiar form.

Vous is used whenever you address more than one person. **Vous** is also used to address any person whom you do not know well enough to address using the **tu** form. For this reason it is called the formal form of address.

Madame Gaudin, êtes-vous française?
Monsieur Smith, êtes-vous américain?
Marie-France, es-tu française?
Barbara, es-tu américaine?

Tape Activities 10—11

Exercice 6 Sont-ils français?

*Look at the following pictures. Ask each person if he or she is French. Use **tu** or **vous** as appropriate.*

1.

2.

3.

Prononciation

Les sons *in/ain* et *en/em*

These two sounds are also nasal.

Tape Activities 12–13

in/ain

cinq   intelligent
vingt   américain
Gaudin   certain
sincère

en/em

en   essentiel
content   intelligent
Henri   novembre
vendredi

Pratique et dictée

Laurent Gaudin est sincère et intelligent.
Il y a vingt Américains.
Il est certain.

Henri est content en novembre.
C'est l'essentiel.
C'est aujourd'hui vendredi.

4.

5.

6.

ℚecture culturelle

Une lettre de Gilbert

Students can read the postcard at home and write the answers to the questions below.

Tape Activities 14–16
Workbook Exercise H

> Nice, le 15 août 19
>
> Chers amis,
>
> Je suis Gilbert Dumas. Je suis français et je suis de Paris. Maintenant je suis à Nice avec la famille de Roger Goldfarb. Roger et moi, nous sommes copains. Nous sommes élèves dans un lycée à Paris. Nous sommes très forts en français et en anglais. L'anglais n'est pas très difficile. Maintenant nous ne sommes pas à Paris. Nous sommes en vacances à Nice. Les vacances sont toujours formidables. D'accord?
>
> Bien affectueusement,
> Gilbert

Exercice Répondez. *(Answer.)*

1. De qui est la lettre?
2. Est-ce que Gilbert est américain?
3. D'où est-il?
4. Où est-il maintenant?
5. Avec qui est-il?

6. Qui est le copain de Gilbert?
7. Sont-ils élèves?
8. Où sont-ils élèves?
9. Où sont-ils en vacances?
10. Comment sont les vacances?
11. Êtes-vous d'accord?

•**Chers** *Dear* •**moi** *I* •**anglais** *English* •**toujours** *always*
•**Bien affectueusement** *Affectionately*

Activités

1 Write a postcard to Gilbert. Tell him all you can about yourself and one of your best friends.

2 Say all you can about the illustration.

galerie vivante

Nous sommes élèves dans un lycée à Paris. Maintenant nous sommes dans la classe d'anglais. Nous sommes très forts en anglais. Êtes-vous dans la classe de français?

Nous sommes élèves au lycée Jeanne d'Arc à Rouen. Maintenant nous sommes dans la classe de chimie. La chimie est assez difficile. Êtes-vous très forts en sciences?

Une classe de géographie dans une école rurale à Saint-Pierre-et-Miquelon

Une classe d'espagnol au lycée Montaigne à Paris

Nous sommes élèves au lycée Henri IV à Paris. Le lycée Henri IV est une école excellente. Les élèves sont très intelligents. Vous aussi, vous êtes très intelligents, n'est-ce pas?

Dans la bibliothèque du lycée Jeanne d'Arc à Rouen

Révision

Une fille française

Bonjour, tout le monde! Je suis Monique Lavalle. Je suis française. Je suis de Paris. Je suis une amie de Charles Lecoté. Charles est français aussi mais il n'est pas de Paris. Il est de Lyon.

Charles est un ami très sincère. Il est aussi très sympa. Charles et moi, nous sommes très sportifs. Nous sommes très enthousiastes pour les sports.

Charles est élève dans un lycée à Lyon. Moi, je suis élève dans un lycée à Paris. Charles et moi, nous sommes assez forts en anglais. Mais, pourquoi pas? L'anglais n'est pas très difficile et nous sommes assez intelligents.

Exercice 1 Répondez. *(Answer.)*

1. D'où est Monique Lavalle?
2. Est-elle américaine?
3. Qui est l'ami de Monique?
4. Est-il de Paris?
5. D'où est-il?
6. Comment est-il?
7. Charles et Monique sont très sportifs?
8. Qui est élève dans un lycée à Lyon?
9. Et Monique, où est-elle élève?
10. Monique et Charles, sont-ils forts en anglais?
11. L'anglais est facile ou difficile?
12. Est-ce que Monique et Charles sont intelligents?

Le verbe *être*

Review the following forms of the irregular verb **être**.

Infinitive	être	
Present tense	je suis	nous sommes
	tu es	vous êtes
	il/elle est	ils/elles sont

Exercice 2 Tu es Monique?
Complétez la conversation. *(Complete the conversation.)*

— Pardon, tu _____ Monique Lavalle, n'est-ce pas?
— Oui, je _____ Monique. Et tu _____ Robert, n'est-ce pas? Tu _____ l'ami américain de Claudine?
— Oui, je _____ l'ami de Claudine. Elle _____ très sympa.
— Ah, oui. Je _____ d'accord.

Exercice 3 Monique et Charles
Complétez. *(Complete.)*

1. Monique Lavalle _____ de Paris. Elle _____ française.
2. Charles Lecoté n'_____ pas de Paris mais il _____ français aussi. Il _____ de Lyon.
3. Charles et Monique _____ amis. Ils _____ très enthousiastes pour les sports.
4. — Monique et Charles, _____-vous très forts en anglais?
5. — Mais, bien sûr! Nous _____ très forts en anglais. Mais l'anglais n'_____ pas très difficile et nous _____ aussi assez intelligents.

Les adjectifs

Adjectives must agree with the noun they describe or modify. Most adjectives that end in a consonant have four written forms. Observe the following.

	Masculine	**Feminine**
Singular	Le garçon est **blond**.	La fille est **blonde**.
Plural	Les garçons sont **blonds**.	Les filles sont **blondes**.

Review the following adjectives that have four written forms.

américain	**intéressant**
brun	**content**
grand	**fort**
petit	**blond**
intelligent	

Adjectives that end in **-e** have only two written forms, singular and plural. Observe the following.

	Masculine	**Feminine**
Singular	Charles est un ami **sincère**.	Monique est une amie **sincère**.
Plural	Charles et René sont **sincères**.	Monique et Marie sont **sincères**.

Review the following adjectives that have two written forms.

triste	**sympathique**
fantastique	**faible**
magnifique	**enthousiaste**
populaire	**difficile**
sincère	**facile**

Exercice 4 Comment sont-ils?

Choose adjectives to describe the following people. Use as many as you can.

1. Voilà Monique. Elle est...

3. Voilà Paul et Alain. Ils sont...

2. Voilà René. Il est...

4. Voilà Monique et Thérèse. Elles sont...

A student Self-Test, with answers for self-correction, appears in the Workbook. Two unit tests (one written, one oral) appear in the Test Package.

5 Une surprise-partie

As you present vocabulary with the overhead transparencies, you may wish to intersperse questions about each sentence. (See below.)

vocabulaire

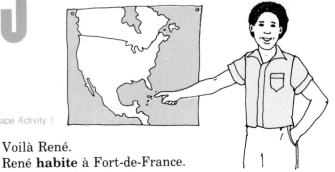

Tape Activity 1

Voilà René.
René **habite** à Fort-de-France.

Qui donne une fête?
Qu'est-ce que René
donne?
Pour qui est-ce qu'il
donne la surprise-partie?

René **donne une fête.**
Il donne **une surprise-partie.**
Il donne une surprise-partie pour
l'anniversaire de Monique.
Les amis **dansent.**
Ils **aiment** les surprises-parties.

Activités pendant la fête

Tape Activity 2

parler

**regarder la télé
(la télévision)**

**chanter
une chanson**

**préparer
une salade**

**écouter un disque
de jazz**

Est-ce que Marie
parle?
Elle parle avec un
ami?
Elle parle français?
Avec qui est-ce qu'elle
parle?

Exercice 1 René donne une fête.
Répondez. *(Answer.)*

1. Est-ce que René habite à Fort-de-France?
2. Est-ce que René donne une fête?
3. Donne-t-il une surprise-partie?
4. Est-ce que les amis dansent pendant la fête?
5. Est-ce qu'ils parlent français ou anglais?
6. Regardent-ils la télé?
7. Est-ce qu-ils écoutent un disque?
8. Est-ce qu'ils chantent?
9. Est-ce qu'ils aiment les surprises-parties?

Tape Activity 3

64

Exercice 2 La fête de René

Tape Activity 4

Répondez aux questions. *(Answer the "what" questions.)*

1. Qu'est-ce que René donne?
2. Qu'est-ce que les amis regardent?
3. Qu'est-ce que les amis chantent?
4. Qu'est-ce que les amis préparent?
5. Qu'est-ce que les amis écoutent?
6. Qu'est-ce que les amis aiment?

Variation:
1. Have students answer first with a complete sentence.
2. Have students answer with only the word that responds to the interrogative **qu'est-ce que.**

Reminder: Tape, workbook and quiz activities that pertain to each section of each lesson are outlined on pages 35–38 in front matter of Teacher's Edition.

Workbook Exercises A–C
Tape Activity 5
Administer Quiz 1.

Structure

Les verbes réguliers en *-er* au présent

As you know, a verb is a word that describes an action or a state of being. **Être** (*to be*) and **parler** (*to speak*) are verbs. **Être** is an irregular verb because its forms are different from all other verbs. **Parler** is a regular verb. It takes the same endings as all other regular verbs that end in **-er**. These regular verbs are called **-er** verbs because the infinitive (**parler,** *to speak;* **chanter,** *to sing*) ends in **-er.** Study the present tense forms of **parler** and **chanter.** You will notice that the endings are added to the stem, which is found by dropping **-er** from the infinitive.

Infinitive	parler	chanter	ENDINGS
Stem	parl-	chant-	
Present tense	je parle	je chante	-e
	tu parles	tu chantes	-es
	il parle	il chante	-e
	elle parle	elle chante	-e
	nous parlons	nous chantons	-ons
	vous parlez	vous chantez	-ez
	ils parlent	ils chantent	-ent
	elles parlent	elles chantent	-ent

Write the paradigm on the board. Underline each ending as you write the verb form on board to hear the oral form and see the written form at the same time. This enables students to learn visually that many letters (or endings) are not pronounced.

Notice that in spoken French, the **je, tu, il/elle,** and **ils/elles** forms of **-er** verbs all sound the same even though they are spelled differently.

When a verb begins with a vowel or a silent **h, je** is shortened to **j'**. In the plural forms, liaison is made in the **nous, vous, ils,** and **elles** forms.

Infinitive	aimer	habiter
Present tense	j'aime	j'habite
	tu aimes	tu habites
	il/elle aime	il/elle habite
	nous aimons	nous habitons
	vous aimez	vous habitez
	ils/elles aiment	ils/elles habitent

In the negative form, **ne** is shortened to **n'** before a vowel or a silent **h.**

> **Il n'aime pas le jazz.**
> **Ils n'écoutent pas la musique.**
> **Je n'habite pas à Paris.**

In the inverted question or interrogative form of all **-er** verbs, a **-t-** is inserted with **il** and **elle.**

Parle-t-il?	**Parle-t-elle?**	**Parles-tu?**
Chante-t-il?	**Chante-t-elle?**	BUT: { **Chantent-ils?**
Écoute-t-il?	**Écoute-t-elle?**	**Écoutez-vous?**

Note

As you continue with your study of French, you will be amazed at how many cognates you encounter. Here are some more **-er** verbs, for example, whose meaning you can easily guess.

danser	réserver	adorer	Tape Activity 6
préparer	désirer	arriver	
téléphoner	détester	inviter	

Exercice 1   Marie et Paul aussi!
Suivez le modèle. *(Follow the model.)*

All exercises can be done orally and/or in written form.

Gilbert danse.
Marie et Paul dansent aussi.

1. Gilbert habite à Fort-de-France.
2. Gilbert parle français.
3. Gilbert chante bien.
4. Gilbert regarde la télé.
5. Gilbert écoute un disque de jazz.

Exercice 2 Dans la cuisine

Pratiquez la conversation. *(Practice the conversation.)*

Hélène René, tu es dans la cuisine?
René Oui.
Hélène Qu'est-ce que tu prépares?
René Je prépare les sandwiches pour la fête.
Hélène Tu prépares une salade aussi?
René Oui.
Hélène Ah, bien. J'aime beaucoup la salade.

Exercice 3 Tu danses?

Répondez avec je. *(Answer with je.)*

1. Tu danses?
2. Tu chantes?
3. Tu regardes la télé?
4. Tu parles avec les copains?
5. Tu arrives chez un ami?

Exercice 4 Des questions

Posez une question avec tu. *(Ask a question with tu.)*

1.

2.

3.

4.

5.

Exercice 5 Et vous?

Posez des questions d'après le modèle. *(Ask questions according to the model.)*

Nous regardons la télévision.
Et vous? Qu'est-ce que vous regardez?

1. Nous regardons la télévision.
2. Nous préparons les sandwiches.
3. Nous donnons une fête.
4. Nous aimons la salade.
5. Nous écoutons la musique.

Tape Activity 11

Exercice 6 Vous donnez une fête?

Répondez avec *nous*. *(Answer with **nous**.)*

1. Vous donnez une surprise-partie pour l'anniversaire d'un ami?
2. Pendant la surprise-partie, vous dansez?
3. Vous chantez aussi?
4. Vous parlez avec les copains?
5. Vous regardez la télévision?
6. Vous écoutez un disque de jazz?
7. Vous aimez le jazz?

Tape Activity 12

Exercice 7 Tu aimes danser?

Répondez d'après le modèle. *(Answer according to the model.)*

Tu aimes danser?
Mais bien sûr. J'aime beaucoup danser.

1. Tu aimes danser?
2. Tu aimes chanter?
3. Tu aimes parler au téléphone?
4. Tu aimes regarder la télé?
5. Tu aimes écouter la radio?

Exercice 8 Mais non!

Répondez d'après le modèle. *(Answer according to the model.)*

Tu aimes danser?
*Mais non! Pas du tout! Au contraire! Je
    déteste danser.*

1. Tu aimes danser?
2. Tu aimes chanter?
3. Tu aimes parler au téléphone?
4. Tu aimes regarder la télé?
5. Tu aimes écouter le jazz?

Expansion:
1. Have one or more students retell the story from the exercise in their own words.
2. Have students make up questions about the story.
3. Have students make up true-false statements about the story.
4. Have students correct the false statements.

Exercice 9   Une surprise-partie

Complétez.   *(Complete.)*

1. René _____ une surprise-partie.   **donner**
2. Il _____ une surprise-partie pour l'anniversaire de Monique.   **donner**
3. Les amis _____ chez René.   **arriver**
4. Pendant la fête, nous _____ .   **danser**
5. Nous _____ avec les amis.   **parler**
6. Moi, j'_____ beaucoup les fêtes.   **aimer**
7. Pendant la fête, nous ne _____ pas la télévision.   **regarder**
8. Est-ce que tu _____ les fêtes?   **aimer**
9. Qui _____-tu à la fête?   **inviter**
10. Qu'est-ce que vous _____ pour la fête?   **préparer**

Tape Activities 13–15

Exercice 10   Il ne parle pas anglais.

Écrivez les phrases à la forme négative.   *(Write the sentences in the negative.)*

1. Jean-Paul parle anglais.
2. Il habite à New York.
3. Les amis aiment le jazz.
4. Je parle italien.
5. J'habite à Rome.
6. Nous parlons anglais dans la classe de français.

Workbook Exercise I
Tape Activities 16–17

Exercice 11   Des questions

Formez des questions.   *(Form questions.)*

1. Vous parlez français.
2. Elle donne une fête.
3. Il prépare les sandwiches.
4. Ils chantent très bien.
5. Elle aime la salade.
6. Tu écoutes la radio.

Workbook Exercise J
Administer Quiz 2.

L'impératif

The command form of the verb is called the imperative. The command form for **tu** of **-er** verbs is exactly the same as the **il/elle** form of the verb. In the command the subject pronoun is omitted. Observe the following.

Danse!	*Dance!*
Chante!	*Sing!*
Parle!	*Speak!*

The command forms for **nous** and **vous** are exactly the same as the conjugated form of the verb. The subject pronoun is not used with the command.

Dansons!	*Let's dance!*
Écoutons!	*Let's listen!*
Regardez!	*Look!*
Écoutez!	*Listen!*

Exercice 12 **Dites.**

Dites à un(e) ami(e) de... *(Tell a friend to . . .)*

1. Dites à un(e) ami(e) de chanter.
2. Dites à un(e) ami(e) de regarder.
3. Dites à un(e) ami(e) d'écouter.
4. Dites à un(e) ami(e) de parler français.

Have students make up commands to give to their classmates.

Exercice 13 **Dites à deux ami(e)s...**

Répétez les impératifs de l'exercice 12 au pluriel (vous). *(Repeat the commands from exercise 12 in the **vous** form.)*

Exercice 14 **Dansons!**

Suivez le modèle. *(Follow the model.)*

Tu aimes danser?
Oui, j'adore danser. Dansons alors!

1. Tu aimes danser?
2. Tu aimes regarder la télé?
3. Tu aimes écouter la radio?
4. Tu aimes chanter?

Workbook Exercise K
Tape Activities 18–19
Administer Quiz 3.

Prononciation   La lettre r

Tape Activities 20–21

To pronounce a French **r,** allow air to pass through the small opening at the back of the mouth, between the back of the tongue and the back of the roof of the mouth.

Initial position	Middle position	Final position
revoir	Marie	bonjour
répondez	garçon	revoir
Roger	Henri	hiver
René	mardi	accord
répétez	aujourd'hui	sincère
	Paris	Gilbert

Pratique et dictée

Roger, répondez à René!
René, voilà le restaurant.
Marie et Henri admirent le garçon.
Aujourd'hui, c'est Paris!
Bonjour, Gilbert, et au revoir!
D'accord! Elle est très sincère!

70

Expressions utiles

There are several very useful expressions that French speakers use to express their emotions or feelings about something. When French-speaking people think that something is really great, they will say:

C'est fantastique!
C'est merveilleux!
C'est formidable!

On the contrary, when they think something is a shame or too bad, they will say:

Dommage!
C'est dommage!
C'est dommage ça!

Conversation

Tape Activities 22–23

Une surprise-partie

Options:
1. Go over conversation orally in class.
2. Listen to cassette.
3. Have students work on conversation in pairs.
4. Have students read conversation.

Chantal	Dis donc, Ginette! Tu invites Roger à la surprise-partie?
Ginette	Non. Je n'invite pas Roger.
Chantal	Pourquoi pas? Il est très sympa.
Ginette	Oui, c'est vrai. Je suis d'accord. Mais il n'aime pas danser.
Chantal	Oh là là! Roger ne danse pas?
Ginette	Non. Il ne danse pas du tout. Il déteste danser.
Chantal	C'est dommage ça.

Exercice   Vrai ou faux?

Corrigez les phrases fausses.   *(Correct the false statements.)*

1. Ginette invite Roger à la surprise-partie.
2. Roger n'est pas sympathique.
3. Roger danse avec Ginette.
4. Roger aime danser.
5. Ginette déteste danser.

Le temps

Le temps en été 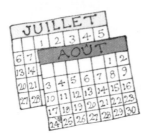 ou dans une île tropicale:

le soleil

le ciel

Oh là là! Il fait chaud.

la mer

Il fait beau.
Le soleil brille.
Le soleil brille très fort dans le ciel.

ℒecture culturelle

Options: 1. Have students repeat several sentences in unison.
2. Ask questions about the sentences read.
3. Call on individuals to read.
4. Have students read silently.
5. Assign reading as homework.

Un garçon martiniquais

René habite à la Martinique. Il habite à Fort-de-France, ville ° principale de la Martinique. Il parle français. René est martiniquais et il parle français? Bien sûr! Les Martiniquais parlent français. La Martinique est une île française dans la mer des Caraïbes. La Martinique est une île tropicale. Il fait toujours chaud à la Martinique. Le soleil brille très fort. C'est toujours l'été à la Martinique.

Exercice Répondez. *(Answer.)*

1. Où habite René?
2. Qu'est-ce qu'il parle?
3. Est-ce que les Martiniquais parlent français?
4. Est-ce que la Martinique est une île française?
5. Où est-elle?
6. Quel temps fait-il à la Martinique?

° **ville** *city*   A final lesson test appears in the accompanying Test Package.

74

Activités

Optional

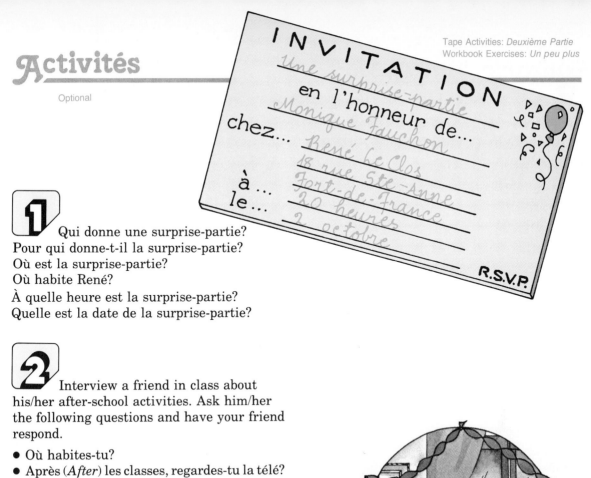

INVITATION

Une surprise-partie

en l'honneur de...
Monique Fauchon

chez... René Le Clos
18 rue Ste-Anne
Fort-de-France

à ... 20 heures

le... 2 octobre

R.S.V.P.

1 Qui donne une surprise-partie?
Pour qui donne-t-il la surprise-partie?
Où est la surprise-partie?
Où habite René?
À quelle heure est la surprise-partie?
Quelle est la date de la surprise-partie?

2 Interview a friend in class about his/her after-school activities. Ask him/her the following questions and have your friend respond.

- Où habites-tu?
- Après (*After*) les classes, regardes-tu la télé?
- Écoutes-tu la radio?
- Parles-tu au téléphone avec un(e) ami(e)?
- Avec qui parles-tu?
- Est-ce que vous parlez français ou anglais?

3 Look at the illustration and say all you can about it.

75

galerie vivante

Voici Dominique et Philippe. Ils sont martiniquais. Dominique et Philippe habitent Fort-de-France. Sont-ils des amis de René Leclos?

Fort-de-France est la ville principale de la Martinique. Fort-de-France est une petite ville pittoresque. Est-ce que le soleil brille très fort à la Martinique? Quel temps fait-il toujours?

Télé Poche est un magazine qui annonce les programmes de télévision en France. À quelle heure est-ce que la troisième chaîne (FR3) présente le film *Cabaret* avec Liza Minelli?

Martine Thibaut habite Paris. Elle est à la maison. Est-ce qu'elle regarde la télé? Qu'est-ce qu'elle écoute?

6 Au restaurant

Vocabulary can be presented
with overhead transparencies.

Vocabulaire

Tape Activity 1

Jean **va en ville.**
Il va **au restaurant.**
Il ne va pas au restaurant **tout seul.**
Il va au restaurant **avec** Hélène.
Ils vont au restaurant **à pied.**
Ils vont **dîner.**

Exercice 1 Jean va en ville.

Tape Activity 2

Répondez. *(Answer.)*

1. Est-ce que Jean va en ville?
2. Va-t-il au restaurant?
3. Va-t-il au restaurant tout seul?
4. Va-t-il au restaurant avec une copine?
5. Est-ce que les deux amis vont au restaurant à pied?
6. Vont-ils dîner au restaurant?

Exercice 2 Où va-t-il?

Répondez aux questions. *(Answer the following "where" questions.)*

1. Où va-t-il?
2. Où va-t-il en ville?
3. Où est-ce qu'Hélène va avec Jean?
4. Où vont-ils dîner?

Variations:
1. Have students answer with complete sentences.
2. Have students answer with only the expression that answers
the question où.

78   Workbook Exercise A
Administer Quiz 1.

Structure

Le verbe *aller* au présent

All verbs whose infinitives end in **-er** are regular verbs with only one exception. That exception is the verb **aller** (*to go*). The verb **aller** does not conform to a regular pattern—it is an irregular verb. Study the following forms.

Infinitive	**aller**	
Present tense	je vais	nous allons
	tu vas	vous allez
	il/elle va	il/elles vont

The command forms of the verb **aller** are:

Va!   Allons!   Allez!

Aller is used in expressions pertaining to health.

Tape Activity 3

La santé

Comment vas-tu?	*How are you?*
Très bien, merci. Et toi?	*Very well, thank you. And you?*
Comment allez-vous?	*How are you?*
Très bien, merci. Et vous?	*Very well, thank you. And you?*
Je vais très bien.	*I'm very well.*
Pas mal.	*Not bad.*
Comme ci, comme ça.	*So-so.*

Tape Activities 4–5

Exercice 1   Où vas-tu?
Pratiquez la conversation. *(Practice the conversation.)*

Ginette Jean, où vas-tu ce soir *(tonight)*?
Jean Je vais au restaurant.
Ginette Tout seul?
Jean Non, avec Hélène. Et après le dîner, nous allons au théâtre.
Ginette Ah, vous allez aussi au théâtre!

Options: Exercises can be
1. Done orally in class.
2. Read by students.
3. Assigned for homework.

Exercice 2   Oui ou non
Répondez avec *Oui, je vais...* ou *Non, je ne vais pas...* (*Answer with Oui, je vais... or Non, je ne vais pas...*)

1. Vas-tu au restaurant?
2. Vas-tu au restaurant à pied?
3. Vas-tu au restaurant avec un(e) ami(e)?
4. Et après le dîner, vas-tu au théâtre ou au cinéma?

79

Exercice 3   Vas-tu au cinéma?

Ask a friend in class if he/she goes to the place in the illustration. Have your friend answer.

au cinéma
Vas-tu au cinéma?

1. au cinéma

2. au restaurant

5. à la fête de René

3. au lycée

6. à la classe de français

4. à l'école

7. à la maison

Exercice 4 Où allez-vous?

Répondez avec *nous allons*. *(Answer with **nous allons**.)*

Expansion: Students can make up stories based on the information in Exercises 4, 5, and 6.

1. Le lundi, allez-vous à l'école?
2. Allez-vous à la classe de français?
3. Allez-vous à la classe de mathématiques?
4. Après les classes, allez-vous à la maison?
5. Vendredi soir, allez-vous au restaurant?
6. Après le dîner, allez-vous au théâtre ou au cinéma?

Exercice 5 Des questions

Posez des questions d'après le modèle. *(Ask questions according to the model.)*

Nous allons au restaurant.
Et où allez-vous?

1. Nous allons au restaurant.
2. Nous allons au cinéma.
3. Nous allons à la maison.
4. Nous allons à la fête de René.
5. Nous allons à la classe de français.

Tape Activity 6

Exercice 6 Je vais au restaurant.

Complétez avec la forme convenable du verbe *aller*. *(Complete with the correct form of the verb **aller**.)*

1. Ce soir je _____ au restaurant.
2. Je ne _____ pas seul au restaurant.
3. Je _____ au restaurant avec un ami.
4. Nous _____ dîner dans un restaurant en ville.
5. Et après le dîner, nous _____ au cinéma.
6. Et après le cinéma, nous _____ à la maison.

Workbook Exercises B–E

Exercice 7 Les amis vont en ville.

Complétez le paragraphe. *(Complete the paragraph.)*

Ce soir Jean et Hélène ne _____ pas dîner à la maison. Ils _____ au restaurant en ville. Ils _____ au restaurant à pied. Après le dîner, les deux amis _____ au cinéma.

Workbook Exercise G

Exercice 8 Allons au restaurant!

Complétez la conversation. *(Complete the conversation.)*

Patrick Ce soir je _____ dîner "Chez la Mère Michelle." Où _____-tu, Claude?
Claude Moi aussi, je _____ au restaurant. Gérard _____ au restaurant aussi.
Patrick _____-vous au restaurant, "Chez la Mère Michelle"?
Claude Pourquoi pas? _____ au même restaurant!
Patrick D'accord! Je _____ téléphoner pour réserver une table.

Expansion: Have students retell in their own words where Patrick and Claude are going.

Tape Activity 7
Administer Quiz 2.

The preposition **à** can mean *to, in,* or *at.* It remains unchanged in front of the definite articles **la** and **l'**, but it contracts with **le** to form the word **au** and with **les** to form the word **aux.** Study the following.

à + la = à la	**Je vais à la maison.**
à + l' = à l'	**Je vais à l'école.**
à + le = au	**Je vais au lycée.**
à + les = aux	**Je parle aux élèves.**

A liaison is made with **aux** and any word beginning with a vowel or silent **h.** When a liaison is made, the **x** is pronounced /z/.

Take note of the following expressions in which **à** is *not* used.

Je vais chez René.
Je vais en ville.
Je vais en classe.   BUT: **Je vais à la classe de français.**

Exercice 9 Je ne vais pas au lycée.

Complétez. Suivez le modèle. *(Complete. Follow the model.)*

(le lycée)   Aujourd'hui je ne vais pas _____ .
Aujourd'hui je ne vais pas au lycée.

1. (l'école)   Aujourd'hui je ne vais pas _____ .
2. (le restaurant)   Ce soir je ne vais pas _____ .
3. (le cinéma)   Je ne vais pas _____ .
4. (la fête)   Pourquoi pas? Je vais _____ de René.
5. (les amis)   Pendant la fête je vais parler _____ .
6. (la maison)   Après la fête je vais _____ .

Exercice 10 Je ne vais pas à la fête.

Complétez. *(Complete.)*

Ce soir je ne vais pas _____ (le concert), je ne vais pas _____ (le parc), je ne vais pas _____ (le lycée), je ne vais pas _____ (le restaurant), je ne vais pas _____ (le cinéma) et je ne vais pas _____ (la fête) de René. Alors, où est-ce que je vais aller? Je vais aller _____ (la maison).

Workbook Exercises H–J
Tape Activity 8
Administer Quiz 3.

Aller + l'infinitif

The following sentences tell what is going to happen in the near future.

René va donner une fête.
Il va inviter les amis.
Je vais aller à la fête.   Tape Activity 9
Nous allons danser.

To express what is going to happen in the near future, you can use the verb **aller** plus an infinitive. This is equivalent to the English expression *to be going to.* Study the following sentences in the negative.

> **Je ne vais pas danser.**
> **Il ne va pas parler.**

Note that **ne** goes before the verb **aller. Pas** goes after **aller** and before the infinitive.

Exercice 11 Personnellement

Répondez avec *oui* ou *non*. *(Answer with **oui** or **non**.)*

1. Est-ce que tu vas regarder la télé?
2. Est-ce que tu vas parler avec un ami au téléphone?
3. Est-ce que tu vas dîner au restaurant?
4. Est-ce que tu vas préparer le dîner?
5. Est-ce que tu vas aller au cinéma?

Workbook Exercise K
Tape Activities 10–11
Administer Quiz 4.

𝓟rononciation   La lettre *c*

Tape Activities 12–13

The letter **c** is pronounced like a *k* when it is followed by a consonant or by the vowels **a, o,** or **u.** It is pronounced like an *s* when it is followed by **e, é,** or **i.** A cedilla (ç) is always pronounced like an *s.*

c = k	c = s	ç (cédille) = s
cassette	ce	ça
café	c'est	français
canadien	lycée	garçon
comment	France	commençons
copain	central	
contraire	centre	
cuisine	commencer	
Claude	ici	

𝓟ratique et dictée

Comment va le copain?
Le lycée est français.
Nous commençons les vacances.
C'est la cassette de Claude.
Le café est en France.
Au contraire, il est canadien.

Expressions utiles

Dans un restaurant

demander l'addition

commander un steak frites

laisser un pourboire

le garçon

à point

saignant

bien cuit

Conversation

Un dîner exquis

Jean va au restaurant avec une copine. Le garçon arrive à la table. Il donne un menu à Jean et il donne un autre à Hélène.

Jean	Tu vas commander, Hélène?
Hélène	Pas encore. Je vais regarder le menu un moment.
Jean	Moi, je vais commander un steak frites.
Hélène	Ah, c'est bien ça. Moi, j'aime beaucoup le steak saignant.
Jean	Oh là là! Pas moi! Au contraire! J'aime le steak bien cuit.
Le garçon	Bonsoir. Qu'est-ce que vous désirez?
Hélène	Un steak frites, s'il vous plaît. Et le steak saignant.
Jean	Pour moi un steak frites aussi. Mais le steak bien cuit, s'il vous plaît.
Le garçon	D'accord!

Après un dîner exquis, les deux copains demandent l'addition. Ils payent et ils laissent un pourboire pour le garçon. Le service est compris,° c'est vrai. Mais Jean et Hélène laissent un peu plus.° Pourquoi pas?

Exercice 1   Vrai ou faux?
Corrigez les phrases fausses. *(Correct the false statements.)*

1. Jean va tout seul au restaurant.
2. Il va dîner avec la famille à la maison.
3. Il va préparer le dîner.
4. Jean et Hélène commandent une salade.
5. Hélène aime le steak bien cuit.

Exercice 2   Au restaurant
Complétez d'après la conversation. *(Complete according to the conversation.)*

Jean va au _____ avec une _____, Hélène. Dans le restaurant le _____ arrive à la table. Il donne un _____ à Jean et il donne un autre à Hélène. Les deux amis regardent le _____ . Tous les deux commandent un steak frites. Hélène aime le steak _____ . Mais Jean? Pas du tout! Il aime le steak _____ . Après un dîner exquis, les deux copains demandent l'_____ . Le service est _____ mais ils laissent un peu _____ pour le garçon. Le _____ est content du _____, n'est-ce pas?

° **compris** *included*   ° **un peu plus** *a little more*

ℒecture culturelle

Les restaurants français

Tape Activities 16–17

La France est un pays° de restaurants. Les Français aiment beaucoup dîner au restaurant. Pour aller au restaurant, beaucoup de gens réservent une table à l'avance. Comme° les restaurants sont très populaires, ils sont presque° toujours combles.° Et la cuisine est presque toujours exquise. La cuisine est très importante pour les Français.

Mais, attention!° Le dimanche beaucoup de restaurants sont fermés.° Pourquoi ça? Le dimanche les Français aiment dîner à la maison avec la famille.

Exercice   Répondez. *(Answer.)*

1. Est-ce que les Français aiment dîner au restaurant?
2. Réservent-ils une table à l'avance?
3. Est-ce que la cuisine est assez importante pour les Français?
4. Quel jour est-ce que les restaurants sont fermés?
5. Où est-ce que les familles françaises dînent le dimanche?

°**pays** *country*   °**comme** *since*   °**presque** *almost*   °**combles** *crowded*
°**attention!** *take note! watch out!*   °**fermés** *closed*

Activités

Optional

1   Voilà un restaurant à Paris.

- Est-il fermé?
- Quel jour est-ce?
- Est-ce que le restaurant est fermé le dimanche?
- Est-ce que beaucoup de restaurants français sont fermés le dimanche?
- Pourquoi ça?

2   Look at the illustration and tell all you can about it.

galerie vivante

C'est le café des Deux Magots à Paris. Le garçon arrive à la table. Monsieur Malherbe a un sandwich au fromage. Qui a une omelette?

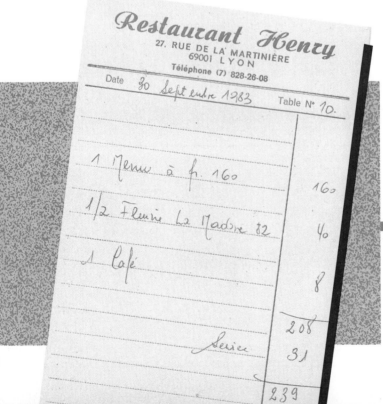

Restaurant Henry
27, RUE DE LA MARTINIÈRE
69001 LYON
Téléphone (7) 828-26-08

Date 30 Septembre 1983   Table N° 10

1 Menu à f. 160	160
1/2 Fleurie Le Madère 82	40
1 Café	8
	208
Service	31
	239

Où est le restaurant Henry? Combien coûte le dîner? Est-ce que le service est compris?

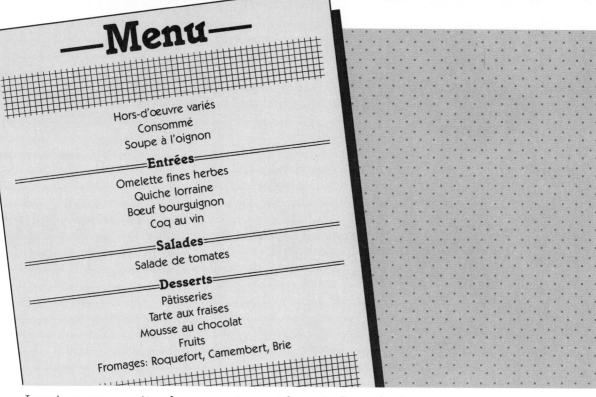

Menu

Hors-d'œuvre variés
Consommé
Soupe à l'oignon

Entrées

Omelette fines herbes
Quiche lorraine
Bœuf bourguignon
Coq au vin

Salades

Salade de tomates

Desserts

Pâtisseries
Tarte aux fraises
Mousse au chocolat
Fruits
Fromages: Roquefort, Camembert, Brie

Imaginez que vous êtes dans un restaurant français. Regardez le menu.
Qu'est-ce que vous désirez?

Après le dîner, allez-vous au
cinéma ou au théâtre?

Et les copains,
vont-ils au théâtre ou au cinéma?

7 Une famille française

une famille

$\mathcal{V}$ocabulaire

la mère   la fille   le père   le fils

un chien

un chat

M. et Mme Dupont **ont** deux **enfants:** une fille et un fils.
La famille Dupont **a un appartement** à Paris.
Ils ont un chien.

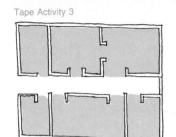

l'atelier

le deuxième étage

le premier étage

le rez-de-chaussée

Il y a six **pièces** dans l'appartement.

Il y a dix appartements dans **l'immeuble.**

Il y a quatre **personnes** dans la famille.

Exercice 1 La famille Dupont

Répondez. *(Answer.)*

1. Est-ce que la famille Dupont a un appartement à Paris?
2. Est-ce que Monsieur Dupont a deux enfants?
3. Est-ce que la famille Dupont a un chien?
4. Est-ce qu'ils ont un appartement dans un immeuble?
5. Est-ce qu'ils ont un appartement au deuxième étage?

All exercises in the vocabulary section can be done orally, written, or both.

Exercice 2 Combien?

Dites combien. *(Tell how many.)*

1. Combien de personnes est-ce qu'il y a dans la famille Dupont?
2. Combien d'enfants est-ce qu'il y a dans la famille?
3. Combien de pièces est-ce qu'il y a dans l'appartement?
4. Combien d'appartements est-ce qu'il y a dans l'immeuble?
5. Combien d'étages est-ce qu'il y a dans l'immeuble?

Exercice 3 Les Dupont

Complétez l'histoire. *(Complete the story.)*

Voici la famille Dupont. Dans la _____ Dupont il y a quatre _____ .
Monique est la _____ et Philippe est le _____ . Monique est la _____ de
Philippe et Philippe est le _____ de Monique.

La famille Dupont a un _____ à Paris. L'appartement est dans un _____ . Il
y a six _____ dans l'appartement. L'appartement n'est pas au rez-de-chaussée. Il
est au deuxième _____ .

Structure

Le verbe irrégulier *avoir* au présent

The verb **avoir**, like the verb **aller**, is an irregular verb because it follows a pattern of its own. Study the present tense forms. Note the /z/ sound (liaison) in the plural forms.

Infinitive		avoir
Present tense	j'ai	nous avons
	tu as	vous avez
	il/elle a	ils/elles ont

Remember that a **-t-** must be inserted with **il/elle** in the inverted question or interrogative form.

A-t-il un chien?
A-t-elle une sœur?

The verb **avoir** is used to express age.

Have students ask one another their age.

L'âge
— Quel âge avez-vous?   — Quel âge as-tu?
— J'ai vingt-deux ans.   — J'ai seize ans.

Exercice 1   Les Dupont   *Tape Activity 7*
Répondez. *(Answer.)*

1. Est-ce que Madame Dupont a deux enfants?
2. Est-ce que Monique a un frère?
3. Est-ce que Philippe a une sœur?
4. Est-ce que Monsieur et Madame Dupont ont deux enfants?
5. Est-ce qu'ils ont une fille?
6. Est-ce qu'ils ont un appartement à Paris?
7. Est-ce qu'ils ont un chien?

Workbook Exercise D

Exercice 2   As-tu une sœur?   *Tape Activity 8*
Pratiquez la conversation. *(Practice the conversation.)*

Annie   Gilbert, as-tu une sœur?
Gilbert   Oui, j'ai une sœur et j'ai un frère aussi.
Annie   Est-ce que vous avez un chien?
Gilbert   Non, nous n'avons pas de chien. Nous avons un chat.

  Expansion: Have students tell about Gilbert's family in their own words.

Exercice 3 As-tu un frère?
Répondez avec _J'ai._ _(Answer with **J'ai.**)_

1. As-tu un frère?
2. Combien de frères as-tu?
3. As-tu une sœur?
4. Combien de sœurs as-tu?
5. As-tu une cousine?
6. Combien de cousines as-tu?
7. As-tu un cousin?
8. Combien de cousins as-tu?
Tape Activity 9

Exercice 4 Des questions
Posez une question à un ami avec _Est-ce que tu as._ _(Ask a question of a friend with **Est-ce que tu as.**)_

1. un frère
2. une sœur
3. un cousin
4. une cousine

5. un chien
6. un chat
7. un copain français

Exercice 5 Nous avons une maison.
Suivez le modèle. _(Follow the model.)_

Nous avons une maison à Nice.
Pardon? Qu'est-ce que vous avez?

1. Nous avons un appartement à Paris.
2. Nous avons une maison à Saint-Malo.

3. Nous avons un chien adorable.
4. Nous avons un chat adorable.

Exercice 6 Avez-vous un chien?
Répondez avec _Nous avons._ _(Answer with **Nous avons.**)_

1. Avez-vous un chien?
2. Avez-vous un chat?
3. Avez-vous un disque?

4. Avez-vous une maison ou un appartement?

Exercice 7 La famille Dejarnac
Complétez avec _avoir._ _(Complete with **avoir.**)_

Voici la famille Dejarnac. Ils _____ un appartement à Paris. Ils _____ aussi une maison à Nice. L'appartement _____ six pièces et la maison _____ six pièces aussi.

Dans la famille Dejarnac il y a quatre personnes: la mère, le père et deux enfants. Guillaume, le fils, _____ une sœur. Jacqueline, la fille, _____ un frère. Guillaume _____ seize ans et Jacqueline _____ dix-huit ans.

Quel âge _____-tu? Combien de frères et combien de sœurs _____-tu? _____-vous un chat? _____-vous un chien?

Moi, je suis Alexandre. J'_____ quinze ans. J'_____ deux sœurs et un frère. Nous _____ un chien adorable mais nous n'_____ pas de chat.

Expansion: Have students make up as many questions about **la famille Dejarnac** as they can.

Workbook Exercises E–G   Tape Activities 10–11   Administer Quiz 2.

93

L'article indéfini au pluriel: affirmatif et négatif

The plural of the indefinite articles **un** and **une** is **des.** The plural of the indefinite article means *some* or *any* in English. Note the liaison with **des** before any noun beginning with a vowel or silent **h.**

Singular	Plural
J'ai un copain français.	J'ai des copains français.
	J'ai des amies.

In English the word *some* can sometimes be omitted. However, the French **des** is never omitted.

French	English
J'ai des amis français.	*I have French friends.*
	I have some French friends.

Un, une, or des become **de** when they follow a verb in the negative. **De** contracts to **d'** when the noun begins with a vowel or silent **h.**   Tape Activity 12

J'ai une guitare.	**Je n'ai pas de guitare.**
J'ai un chien.	**Je n'ai pas de chien.**
Nous avons des disques.	**Nous n'avons pas de disques.**
Nous avons des amis français.	**Nous n'avons pas d'amis**
	français.

Hold up any item you have in the classroom: Say **J'ai un(e)** _____.
Hide the item, show your empty hands and say **Je n'ai pas de** _____.

Exercice 8 Avez-vous un frère?
Répondez avec *Oui*. *(Answer with* ***Oui****.)*

1. Avez-vous un frère?
2. Avez-vous une sœur?
3. Avez-vous des cousins?
4. Avez-vous des copains?

Tape Activity 13

Exercice 9 Je n'ai pas de chien.
Répondez avec *Non*. *(Answer with* ***Non****.)*

1. Avez-vous un chien?
2. Avez-vous un chat?
3. Avez-vous un appartement à Paris?
4. Avez-vous une maison à Nice?
5. Avez-vous des disques?
6. Avez-vous des cousins français?
7. Avez-vous des amis français?

Exercice 10 La famille de Robert
Choisissez. *(Choose.)*

1. J'ai _____ frère. **un, des**
2. Robert n'a pas _____ frères. **des, de**
3. Il a _____ sœurs. **des, une**
4. La famille de Robert a _____ appartement à Paris. **un, d'**

Exercice 11 Robert et moi
Complétez. *(Complete.)*

1. Robert a _____ disques mais moi, je n'ai pas _____ disques.
2. Robert a _____ copains français mais moi, je n'ai pas _____ copains français.
   Moi, j'ai _____ copains américains.
3. Robert a _____ sœurs mais moi, je n'ai pas _____ sœurs. J'ai _____ frères.

Workbook Exercise H
Administer Quiz 3.

L'expression *il y a*

The expression **il y a** can mean either *there is* or *there are*. Therefore, **il y a** can be followed by either a singular or a plural noun.

Singular	Plural
Il y a un chien dans le parc.	Il y a deux chiens dans le parc.
Il y a une fille dans la famille.	Il y a deux filles dans la famille.

To form a question, **est-ce qu'** can be used with **il y a.**

Est-ce qu'il y a un chien dans le parc?

Il y a can also be inverted to form a question. A **-t-** must be inserted in the inverted form.

Y a-t-il un chien dans le parc?

The expression **combien de** (*how many, how much*) is often used with **est-ce qu'il y a** or **y a-t-il. Combien de** becomes **combien d'** before a noun that begins with a vowel or an **h.**

Combien de garçons est-ce qu'il y a dans la classe de français?
Combien de filles est-ce qu'il y a dans la classe de français?
Combien d'amis est-ce qu'il y a à la fête?

Exercice 12 La famille Grandjean

Répondez d'après l'illustration. *(Answer according to the illustration.)*

1. Combien de personnes est-ce qu'il y a
   dans la famille?
   Combien d'enfants y a-t-il?
   Combien de fils y a-t-il?
   Combien de filles y a-t-il?

3. Combien d'appartements est-ce qu'il y
   a dans l'immeuble?

2. Combien de pièces y a-t-il dans
   l'appartement?

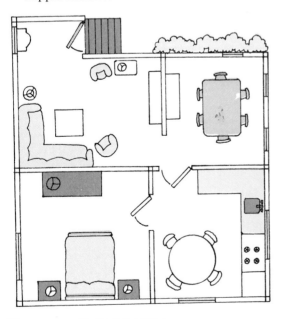

4. Combien d'étages est-ce qu'il y a
   dans l'immeuble?

Prononciation

Tape Activities 16–17

Liaison avec *s*

Silent *s*	*s* = *z* (liaison)
les copains	les‿amis
vous dansez	vous‿êtes
les garçons	les‿élèves
dans le lycée	dans‿un lycée
ils donnent	ils‿écoutent
nous chantons	nous‿aimons

Accent et intonation

Voilà!
Voilà Marie!
Voilà Marie-Ange!
Voilà Marie-Ange et Suzanne Dupont!

Il parle.
Il parle français.
Il parle français avec Luc.
Il parle français avec Luc et Gilbert.

Dansez!
Dansez avec moi!
Dansez avec moi à la fête!
Dansez avec moi à la fête de Suzanne!

Conversation

Qui es-tu?

Complete the conversation. Use personal responses.

— Bonjour. Qui es-tu?
— _____

— Es-tu américain(e) ou français(e)?
— _____

— Où habites-tu?
— _____

— Quel âge as-tu?
— _____

— Combien de sœurs as-tu?
— _____

— Combien de frères as-tu?
— _____

— Avez-vous un appartement ou une maison?
— _____

— Avez-vous un chien?
— _____

— Avez-vous un chat?
— _____

Variations and expansion: Permit students to make up original questions. They can call on other classmates to answer their questions.

97

ℚecture culturelle

La famille Dupont

Voilà la famille Dupont. Ils habitent Paris. Comme° beaucoup de familles à Paris, ils habitent un appartement. Ils ont un appartement dans un immeuble dans le septième arrondissement. Dans l'appartement il y a six pièces. L'appartement de la famille Dupont n'est pas au rez-de-chaussée. Il est au deuxième étage.

Dans la famille Dupont il y a quatre personnes: la mère, le père, un fils et une fille. Le fils est Philippe et la fille est Monique. Monique a seize ans et Philippe a dix-huit ans.

Ce soir° la famille Dupont ne va pas dîner à la maison. Ils vont dîner dans un restaurant du quartier.° Mais voilà Médor. Médor est un chien. Va-t-il rester° à la maison tout seul? Non, Médor aussi va au restaurant avec la famille.

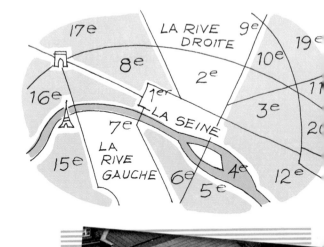

°**Comme** *Like* °**Ce soir** *Tonight* °**du quartier** *neighborhood* °**rester** *to stay*

98

Exercice Choisissez. *(Choose.)*

1. La famille Dupont est _____ .
    a. française
    b. américaine
    c. de Nice

2. Beaucoup de familles à Paris habitent _____ .
    a. des lycées
    b. des appartements
    c. des maisons privées *(private)*

3. Dans l'appartement de la famille Dupont il y a _____ .
    a. six pièces
    b. six étages
    c. six immeubles

4. L'appartement est _____ .
    a. dans une maison
    b. au deuxième étage
    c. au rez-de-chaussée

5. Monsieur et Madame Dupont ont _____ .
    a. deux chiens
    b. un frère et une sœur
    c. deux enfants

6. _____ de Monsieur et Madame Dupont est Monique.
    a. La sœur
    b. Le fils
    c. La fille

7. Phillippe est _____ de Monique.
    a. le fils
    b. le chien
    c. le frère

8. Ce soir la famille va dîner _____ .
    a. à sept heures
    b. dans un restaurant
    c. à la maison

9. Médor va _____ .
    a. rester à la maison
    b. être tout seul
    c. aller au restaurant avec la famille

Tape Activity 18

Activités

Optional

1 **Vrai ou faux? Regardez le plan.**
(True or false? Look at the map.)

- Les quartiers de Paris sont des arrondissements.
- La Seine divise Paris en deux.
- Les quartiers de Paris au sud de la Seine sont sur la rive droite.
- Le septième arrondissement est sur la rive gauche.

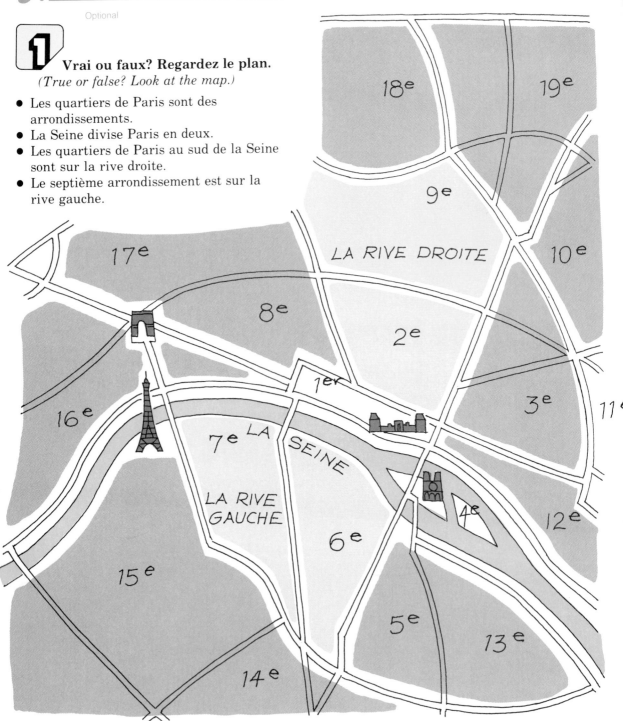

100

2 Start to write your autobiography. Keep your autobiography—for you will add to it as you continue your study of French. As a reminder, some of the things you can tell about yourself are: your name, your nationality, where you are from, your age, how many people there are in your family, a brief description of yourself, your school, the subjects you are good in, whether or not you like sports, some of your daily activities, whether or not you have a pet.

3 Look at the illustration. Say as much as you can about it.

4 Look at the illustration again and make up as many questions as you can about it. Ask your questions of other members of the class to see if they can answer.

galerie vivante

La famille Kerbirio n'habite pas la ville. Ils ont une maison à la campagne. Combien d'enfants est-ce qu'il y a dans la famille?

Voici des immeubles typiques du 18e arrondissement de Paris. Combien d'étages est-ce qu'il y a dans les immeubles?

Voici le modèle d'une petite maison individuelle. Est-ce que le couple va acheter la maison?

Cette maison prete a finir pour 135.000F SERVITEC

REZ-DE-CHAUSSEE

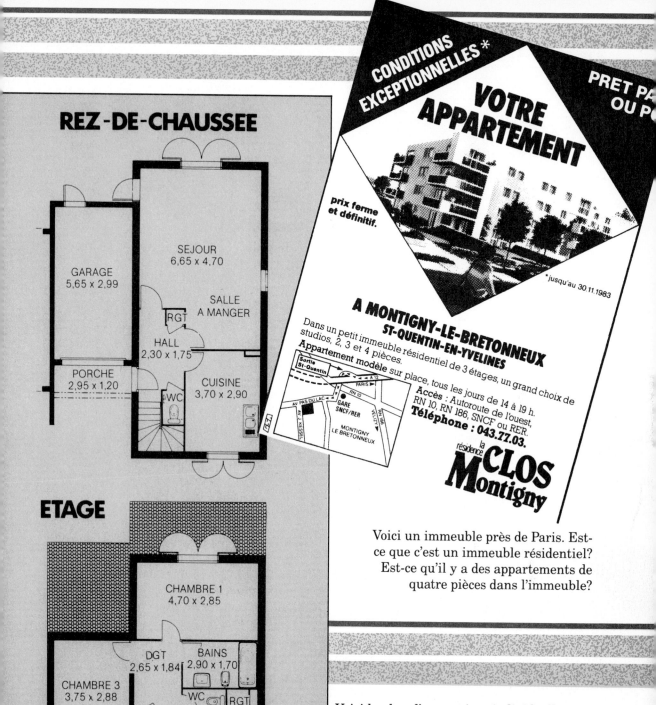

GARAGE
5,65 x 2,99

SEJOUR
6,65 x 4,70

SALLE
A MANGER

RGT

HALL
2,30 x 1,75

PORCHE
2,95 x 1,20

WC

CUISINE
3,70 x 2,90

ETAGE

CHAMBRE 1
4,70 x 2,85

CHAMBRE 3
3,75 x 2,88

DGT
2,65 x 1,84

BAINS
2,90 x 1,70

WC

RGT

RGT

RGT

CHAMBRE 2
3,25 x 2,90

Voici un immeuble près de Paris. Est-ce que c'est un immeuble résidentiel? Est-ce qu'il y a des appartements de quatre pièces dans l'immeuble?

Voici le plan d'une maison individuelle à Saint-Priest. Combien de pièces est-ce qu'il y a dans la maison? Combien de pièces est-ce qu'il y a au rez-de-chaussée? Combien de pièces est-ce qu'il y a au premier ètage?

103

8 On fait les courses

vocabulaire

le boulanger   la vendeuse   le pain   la baguette   l'argent

Tape Activity 1

Tape Activity 2

Jacques est **chez** le boulanger.
Il **achète du** pain.
Il achète une baguette.
Il donne **de** l'argent à la vendeuse.

Jacques **fait les courses.**
Il fait les courses **le matin.**
Il ne fait pas les courses dans **un supermarché.**
Il fait les courses **au marché.**

Exercice 1   Jacques fait les courses.
Répondez.   *(Answer.)*

1. Qui fait les courses?
2. Fait-il les courses le matin?

Tape Activity 3

3. Fait-il les courses dans un supermarché?
4. Où fait-il les courses?

Exercice 2   Chez le boulanger
Complétez.   *(Complete.)*

Jacques est chez le boulanger. Il achète du _____. Il achète une _____. Il donne de l'_____ à la vendeuse. La vendeuse donne la _____ à Jacques.

Mme Leclerc fait les courses.
Qu'est-ce qu'elle achète et où?

Elle achète **du pain**  chez **le boulanger**
ou **la boulangère.**

Elle achète **du lait**  chez **le crémier**
ou **la crémière.**

Elle achète **de la viande**  chez **le boucher**
ou **la bouchère.**

Elle achète **des gâteaux**  chez **le pâtissier**
ou **la pâtissière.**

Elle achète **du poisson**  chez **le poissonnier**
ou **la poissonnière.**

Elle achète **des fruits**  chez **la marchande
de légumes.**

Elle achète **des légumes**  chez **le marchand
de légumes.**

A complete vocabulary list appears in the teacher's Resource Kit.

Workbook Exercise A

105

Exercice 3   Madame Leclerc fait les courses.
Qu'est-ce qu'elle achète?

1. Elle achète du _____ .

3. Elle achète du _____ .

5. Elle achète du _____ .

2. Elle achète de la _____ .

4. Elle achète des _____ .

Exercice 4   Madame Leclerc fait les courses.
Où va-t-elle?

1. Elle achète du lait. Elle va chez _____ _____ .

2. Elle achète des légumes. Elle va chez _____ _____ .

3. Elle achète des gâteaux. Elle va chez _____ _____ .

4. Elle achète du pain.
   Elle va chez _____ _____ .

5. Elle achète de la viande.
   Elle va chez _____ _____ .

Note

Tape Activities 5–6

Pay special attention to the verb **acheter.** The **e** of the stem becomes **è** in the **je, tu, il/elle,** and **ils/elles** forms.

Infinitive	acheter	
Present tense	j'achète	nous achetons
	tu achètes	vous achetez
	il/elle achète	ils/elles achètent

Note the use of the preposition **chez** when referring to food stores. When one says **Je vais chez le boucher,** the meaning is *I am going to the butcher's.* The emphasis is on the person who owns the establishment. One can also use the preposition **à** and say **Je vais à la boucherie.** The meaning of this sentence is *I am going to the butcher shop,* and the emphasis is on the establishment rather than the proprietor. Here are the names of the various shops.

Les magasins

Tape Activity 7

Un boulanger a une boulangerie.
Un crémier a une crémerie.
Un boucher a une boucherie.
Un pâtissier a une pâtisserie.
Un poissonnier a une poissonnerie.

Exercice Les magasins

Complétez. *(Complete.)*

1. Je vais à la _____ où j'_____ du pain.
2. Nous allons à la _____ où nous _____ de la viande.
3. Ils vont à la _____ où ils _____ des gâteaux.
4. Vous allez à la _____ où vous _____ du poisson.

Workbook Exercises B–E
Tape Activities 8–9
Administer Quiz 1.

Structure

Le verbe *faire* au présent

The verb **faire** is another irregular verb. Study the present tense forms.

Infinitive	faire	
Present tense	je fais	nous faisons
	tu fais	vous faites
	il/elle fait	ils/elles font

Faire is a very useful verb since it is used quite frequently in French. The literal meaning of the verb **faire** is *to do* or *to make*.

Je fais un sandwich.	*I'm making a sandwich.*
Qu'est-ce que vous faites?	*What are you doing?* or *What do you do?*

The verb **faire** is also used in many idiomatic expressions. An idiomatic expression is one that does not translate directly from one language to another. The expression **faire les courses** is an example. It is an idiomatic expression because in French the verb **faire** is used, whereas in English we would use the verb *to go.* **Faire les courses** means *to go shopping.*

Here are some other expressions that use the verb **faire.** You should be able to guess what they mean.

faire attention	**faire de la guitare**
faire du sport	**faire de la photographie**
faire du français (de l'anglais)	**faire un voyage**
faire du piano	

Exercice 1 Les garçons font les courses.

Tape Activities 10–11

Pratiquez la conversation. *(Practice the conversation.)*

Luc   Salut, Paul. Qu'est-ce que tu fais?
Paul Moi, je fais les courses.
Luc   Nous aussi, nous faisons les courses.

This mini-conversation permits students to hear, see, and use many forms of the verb **faire** in a natural context.

Paul Vous faites les courses aussi au marché de la rue Cler?
Luc   Bien sûr!
Paul Vous aimez faire les courses?
Luc   Oui.
Paul Sans blague! Pas moi. Tout au contraire. Je déteste faire les courses.

Exercice 2 Les amis font les courses.

Répondez d'après la conversation de l'exercice 1. *(Answer according to the conversation of exercise 1.)*

1. Est-ce que Paul fait les courses?
2. Fait-il les courses au marché de la rue Cler?
3. Est-ce que les amis de Paul font les courses aussi?
4. Font-ils les courses au même marché?

Exercice 3 Personnellement
Répondez. *(Answer.)*

1. À l'école, est-ce que tu fais du français?
2. Tu fais de l'anglais?

3. Tu fais de la gymnastique?
4. Tu fais des mathématiques?

Exercice 4 Vous aussi
Complétez d'après le modèle. *(Complete according to the model.)*

Nous faisons les courses...
Nous faisons les courses, et vous aussi,
vous faites les courses.

1. Nous faisons les courses...
2. Nous faisons les courses le matin...

3. Nous faisons les courses dans
    un supermarché...

Exercice 5 Mon copain Gilbert
Complétez. *(Complete.)*

Expansion: Have students tell a story about Gilbert and his friends in their own words.

Voilà Gilbert, un copain du lycée. Il est très sportif. Il _____ toujours du sport. Moi aussi, je _____ du sport. Gilbert et moi, nous _____ du volley. Nous _____ aussi de la gymnastique. Gilbert est aussi très fort en français. Il parle toujours français avec une copine, Debbi. Les deux _____ du français avec Madame Benoît. Ils aiment beaucoup le cours de français. Qu'est-ce qu'ils _____ dans la classe de Madame Benoît? Ils parlent beaucoup et ils chantent des chansons françaises. Vous _____ du français aussi, n'est-ce pas? Avec qui _____-vous du français?

Mais il y a une chose que Gilbert ne _____ pas. Il déteste _____ les courses. Pas moi. J'aime _____ les courses.

Exercice 6 Qu'est-ce que vous faites?
Look at each picture. Ask the person or persons in the picture what they are doing and give their answer.

1.

2.

3.

4.

5.

Workbook Exercise F–G
Tape Activities 12–13
Administer Quiz 2.

109

Le partitif

In French the definite article (**le, la, l', les**) is used when speaking of a specific object:

> **Le poisson est dans la cuisine.** *The fish is in the kitchen.* (A specific fish is in the kitchen.)
> **Voilà le dessert.** *Here's the dessert.* (meaning a specific dessert)

The definite article is also used when speaking of a noun in a general sense:

> **Elle aime le lait.** *She likes milk.* (meaning she likes milk in general)
> **Il aime le dessert.** *He likes dessert.* (dessert in a general sense)

However, when only a quantity of the noun is referred to, the partitive construction is used. The partitive is usually expressed in English by *some* or *any*, or sometimes by no word at all. Look at these sentences:

> **As-tu du lait?** *Do you have any milk?*
> **Je vais commander du dessert.** *I'm going to order (some) dessert.*

In the sentences above, the partitive construction is used because only a certain quantity of the item is referred to, even though we don't know exactly what the quantity is.

The partitive in French is expressed by **de** plus the definite article. **De** combines with the definite article **le** to form **du** and with the definite article **les** to form **des. De l'** and **de la** remain unchanged.

de + le = du	**J'ai du pain.**
de + la = de la	**Avez-vous de la crème?**
de + l' = de l'	**Nous avons de l'argent.**
de + les = des	**Il achète des légumes.**

Exercice 7 Qu'est-ce que les amis vont faire?

Complétez avec le partitif. *(Complete with the partitive.)*

1. Je vais préparer _____ salade.
2. Jean va faire les courses. Il va acheter _____ pain, _____ lait et _____ gâteaux.
3. Il va chez le boucher où il va acheter _____ viande.
4. Il y a _____ fruits sur la table.
5. Jeannette va commander _____ pommes frites.
6. Thérèse prépare _____ sandwiches dans la cuisine.
7. Je vais donner _____ argent à Robert.

Exercice 8 Écoutes-tu de la musique?

Répondez d'après le modèle. *(Answer according to the model.)*

Écoutes-tu de la musique?
Oui, j'écoute de la musique.
J'aime beaucoup la musique.

1. Écoutes-tu du jazz?
2. Vas-tu acheter du pain?
3. Achètes-tu des gâteaux?
4. Commandes-tu du dessert?
5. Commandes-tu de la soupe aussi?

Exercice 9 Avez-vous de la viande?

Posez une question d'après le modèle. *(Ask a question according to the model.)*

J'aime beaucoup la viande.
Avez-vous de la viande, madame?

1. J'aime beaucoup le lait.
2. J'aime beaucoup la salade.
3. J'aime beaucoup les gâteaux.
4. J'aime beaucoup le pain français.
5. J'aime beaucoup les fruits.

Le partitif à la forme négative

Compare the following affirmative and negative sentences.

Affirmative	Negative
Commandes-tu du dessert?	Non, je ne commande pas de dessert.
J'ai de l'argent.	Je n'ai pas d'argent.
Je vais préparer des légumes.	Je ne vais pas préparer de légumes.

Note that the partitive articles **du, de l', de la,** and **des** all become **de** when they follow a negative verb. **De** shortens to **d'** before a noun that begins with a vowel or a silent **h.**

The same rule holds true for the expressions with **faire** that take **de.**

   Je fais du français.   **Je ne fais pas de latin.**

Exercice 10 Elle fait les courses.

Répondez d'après le modèle. *(Answer according to the model.)*

Achète-t-elle du pain chez le boucher?
Non, elle n'achète pas de pain chez le
boucher.
Elle achète du pain chez le boulanger.

1. Achète-t-elle de la viande chez le boulanger?
2. Achète-t-elle du poisson chez le boucher?
3. Achète-t-elle du lait chez le marchand de légumes?
4. Achète-t-elle des gâteaux chez le poissonnier?

Exercice 11 Les sœurs de Charles

Complétez avec la forme convenable du partitif. *(Complete with the*
appropriate partitive form.)

Charles a _____ sœurs mais il n'a pas _____ frères. Les deux sœurs de
Charles sont Cassandre et Catherine. Cassandre fait _____ anglais mais
Catherine ne fait pas _____ anglais, elle fait _____ latin.

Quand la famille va au restaurant Catherine commande toujours _____
viande. Cassandre ne commande pas _____ viande. Elle n'aime pas du tout la
viande. Elle commande toujours _____ poisson. Cassandre aime beaucoup la
salade et elle commande toujours _____ salade. Mais pas _____ salade pour
Catherine! Elle commande toujours _____ légumes. Elle adore les pommes de
terre frites. Les préférences sont différentes, mais c'est la vie.

Prononciation

O fermé et o ouvert

Be sure to distinguish between the two *o* sounds of French. To pronounce the **o**
fermé, the lips should be rounded and thrust forward slightly, as in whistling. To
pronounce the **o ouvert,** the jaws should be open fairly wide.

o fermé	o ouvert
radio	fort
bientôt	formidable
maillot	Robert
posez	professeur
beaucoup	Nicole
au	dommage
aussi	joli

Pratique et dictée

Bientôt j'écoute la radio.
Posez beaucoup de questions au professeur.

Robert est formidable!
Dommage! Il n'est pas fort!

Expressions utiles

In English the expression *I would like* (*I'd like*) is a polite way to say *I want*. It is used in conversation when *I want* would be too abrupt. There is an exact equivalent in French for *I would like*.

Je voudrais une baguette, s'il vous plaît.

In rich languages such as English and French, there is often more than one way to express basically the same idea. For example, in English there are several ways to express the idea *very.* We may say *That's very expensive.* We may also say *That's quite expensive*, *That's rather expensive*, or *That's pretty expensive*. There are similar options in French.

C'est très cher.
C'est bien cher.
C'est assez cher.

vocabulaire utile

Dans un marché ou un supermarché

le marchand

les conserves en boîtes

le savon

une bouteille
d'eau minérale

haricots verts
20F le kilo

½ kilo = une livre

la marchande

fraises
15F la boîte

le papier
hygiénique

Chez un marchand de fruits au marché de la rue Cler

Marchand	Bonjour, madame.
Mme Dupont	Bonjour, monsieur.
Marchand	Comment allez-vous aujourd'hui?
Mme Dupont	Très bien, merci. Et vous?
Marchand	Très bien. Et qu'est-ce que madame désire aujourd'hui?
Mme Dupont	À combien sont les haricots verts?
Marchand	Dix francs le kilo.
Mme Dupont	Je voudrais une livre, s'il vous plaît.
Marchand	D'accord. Une livre.
Mme Dupont	Et à combien sont les fraises?
Marchand	Ah! Les fraises d'Israël. Douze francs la boîte.
Mme Dupont	Oh là là! C'est bien cher, ça.
Marchand	Oui, madame. Mais elles sont exquises.
Mme Dupont	Très bien. Une boîte, s'il vous plaît. Ça fait combien?
Marchand	Alors, les fraises et les haricots verts, ça fait dix-sept francs, madame. Merci, madame.
Mme Dupont	Au revoir, monsieur.
Marchand	Au revoir, madame.

Have students note the friendly exchange between the vendor and the client at the beginning and the end of the dialogue.

Exercice Choisissez. (Choose.)

1. Madame Dupont _____ .
   a. va chez une amie
   b. fait les courses
   c. prépare une fête

2. Elle fait les courses _____ .
   a. au supermarché
   b. au marché de la rue Cler
   c. chez le boulanger

3. Les haricots verts coûtent dix francs _____ .
   a. la livre
   b. la boîte
   c. le kilo

4. Madame parle avec _____ .
   a. le marchand de fruits
   b. le boucher
   c. la famille

5. Madame achète _____ .
   a. une baguette de pain
   b. une boîte de fraises
   c. deux kilos de haricots verts

ℚecture culturelle

On fait les courses

Est-ce qu'il y a des supermarchés en France? Oui, il y a des supermarchés. Mais les Français ne vont pas souvent* au supermarché pour faire les courses. Les Français aiment faire les courses dans des magasins spécialisés. Ils n'achètent pas tout* dans le même* magasin. Ils font les courses dans plusieurs* magasins. Pour acheter de la viande, ils vont chez le boucher. Pour acheter du pain, ils vont chez le boulanger.

Presque tous les matins* les Français vont chez le boulanger. Chez le boulanger ils achètent du pain et des croissants ou des brioches.*

Pourquoi les Français aiment-ils aller dans des magasins spécialisés? Premièrement, la qualité est presque toujours* excellente. Deuxièmement, les Francais aiment converser un peu avec le marchand ou la marchande. Ils trouvent ça* très sympa.

---

*__souvent__ *often*   *__tout__ *everything*   *__même__ *same*   *__plusieurs__ *several*   *__tous les__
__matins__ *every morning*   *__brioche__ *type of roll*   *__presque toujours__ *almost always*
*__Ils trouvent ça__ *They find this*

116

Et alors, qu'est-ce qu'ils achètent au supermarché? Au supermarché ils achètent, par exemple, des conserves en boîtes, des bouteilles d'eau minérale, du papier hygiénique et du savon.

Exercice Répondez. *(Answer.)*

1. Est-ce qu'il y a des supermarchés en France?
2. Est-ce que les Français vont souvent faire les courses au supermarché?
3. Aiment-ils faire les courses dans des magasins spécialisés?
4. Où vont-ils acheter de la viande?
5. Où vont-ils acheter du pain?
6. Vont-ils souvent chez le boulanger?
7. Dans les magasins spécialisés, est-ce que la qualité est excellente?
8. Est-ce que les Français aiment converser un peu avec les marchands?
9. Qu'est-ce que les Français achètent au supermarché?

Workbook Exercise I
A final lesson test appears in the accompanying Test Package.

117

Activités

Tape Activities: *Deuxième Partie*
Workbook Exercises: *Un peu plus*

1 Look at the photographs and tell what the French people buy at each shop.

2

Read the conversation below and then change it using the given words. Practice the new conversations with a classmate.

— Qu'est-ce que tu vas faire, Carole?
— Je vais faire les courses.
— Qu'est-ce que tu vas acheter?
— **Du pain.**
— Ah, tu vas chez **le boulanger?**
— Oui.

Change **pain** to **viande; fraises; eau minérale; croissants.** Change **boulanger** to the appropriate merchant.

3

Tell whether the customs described are basically French or American.

- Tous les matins nous allons chez le boulanger pour acheter du pain.
- Nous achetons presque tout au supermarché.
- Nous faisons les courses tous les matins.
- Nous aimons faire les courses dans des magasins spécialisés.

galerie vivante

Une charcuterie à Paris

Madame Joubert est chez le marchand de légumes. À combien sont les carottes aujourd'hui?

Quand les Français vont au marché ils ne parlent pas de «pounds.» Il n'y a pas de «pounds» dans le système métrique. Il y a des kilos. Un kilo (un kilogramme) est l'équivalent de 2,2 «pounds.» Dans un kilo il y a mille (1,000) grammes. Un demi-kilo (1/2 kg) est une livre. Combien coûte une livre de tomates?

Madame Picard fait les courses au supermarché à Beaune. Est-ce que le chien de Madame Picard reste à la maison?

Au supermarché on paie à la caisse. Est-ce que Mme Martin et Brigitte achètent de l'eau minérale? Combien de bouteilles ont-elles?

Quand Madame Dupont va au marché à Paris, elle paie avec des francs français. Il y a des billets et des pièces.

Billets		Pièces	
10F	100F	1F	5F
20F	200F	2F	10F
50F	500F		

Le franc est divisé en centimes.

Pièces	
1c	20c
5c	50c
10c	

Révision

René a une sœur

— René, tu as des frères?
— Non, non. Je n'ai pas de frères mais j'ai une sœur, Ginette.
— Vous allez au même lycée?
— Non. Ginette ne va pas au lycée. Elle a douze ans et elle va au collège.
— Vous habitez la rue Berthollet, n'est-ce pas?
— Non. Nous habitons la rue de Grenelle dans le septième.

Exercice 1 La sœur de René
Complétez.

René Giraudoux n'_____ pas _____ frères, mais il _____ une sœur. La sœur de René est Ginette. René et Ginette ne _____ pas _____ même lycée. Ginette ne _____ pas _____ lycée. Elle _____ douze ans et elle _____ au collège.

La famille de René et Ginette _____ le septième arrondissement. Ils _____ un appartement dans la rue de Grenelle.

Les verbes en *-er*

Review the following forms of the present tense of regular **-er** verbs.

Infinitive	parler	aimer
Present tense	je parle	j'aime
	tu parles	tu aimes
	il/elle parle	il/elle aime
	nous parlons	nous aimons
	vous parlez	vous aimez
	ils/elles parlent	ils/elles aiment

Exercice 2 Qu'est-ce qu'on fait pendant la fête?
Complétez.

1. Moi, je _____ avec un copain.

2. André _____ une salade
dans la cuisine.

3. Les amis _____ des disques de jazz.

4. Nous _____ .

5. Et vous? Est-ce que vous
_____ la télé?

Exercice 3 Personnellement
Répondez.

1. Où habites-tu?
2. Parlez-vous anglais ou français à la maison?
3. Dînes-tu à la maison?
4. Après le dîner, regardez-vous la télévision?
5. Tu aimes regarder la télévision?

Les verbes irréguliers

Review the three irregular verbs that you have learned.

Infinitive	aller	avoir	faire
Present tense	je vais	j'ai	je fais
	tu vas	tu as	tu fais
	il/elle va	il/elle a	il/elle fait
	nous allons	nous avons	nous faisons
	vous allez	vous avez	vous faites
	ils/elles vont	ils/elles ont	ils/elles font

Exercice 4 Personnellement
Répondez.

1. As-tu des frères ou des sœurs?
2. Combien de frères ou de sœurs as-tu?
3. Allez-vous à la même école?
4. À quelle école vas-tu (allez-vous)?
5. Fais-tu du français?

Exercice 5 Parlons!

Tell what you or someone else studies, at what time the person goes to that class, and what he/she thinks of the teacher.

Robert / du latin
Robert fait du latin.
Il va à la classe de latin à neuf heures.
Il a un professeur très sympa.

1. Caroline / de l'histoire
2. Moi, je / du français
3. Claude et René / des maths
4. Nous / de l'anglais
5. Tu / de la biologie
6. Vous / de la gymnastique

L'article indéfini

The indefinite articles *(a, an)* are **un, une.** The plural *(some)* of **un, une** is **des.**

Singular	Plural
J'ai **un** frère.	J'ai **des** frères.
Eugénie a **une** sœur.	Eugénie a **des** sœurs.

Exercice 6   Un, une, des
Complétez.

1. Claudine va avoir _____ anniversaire. Roger va donner _____ fête. Il va inviter _____ amis.
2. Au restaurant je vais commander _____ steak saignant avec _____ pommes frites et _____ salade.
3. La famille Dejarnac a _____ appartement à Paris et _____ maison à Nice.

Le partitif

Remember that the partitive *(some, any)* is expressed by **de** plus the definite article in French. **De** contracts with **le** to form **du** and with **les** to form **des.** Remember, too, that in the negative **du, de la, de l',** and **des** all become **de.**

Affirmative	Negative
J'ai du pain.	Je n'ai pas de pain.
J'ai de la viande.	Je n'ai pas de viande.
J'ai de l'argent.	Je n'ai pas d'argent.
J'ai des gâteaux.	Je n'ai pas de gâteaux.

Un and **une** also become **de** when they follow a verb in the negative.

Ils ont une maison à Nice.   **Ils n'ont pas de maison à Nice.**

Exercice 7   Robert a de la viande.
Suivez le modèle.

Robert / viande, légumes
Robert a de la viande mais il n'a pas de
légumes.

1. Robert / frères, sœurs
2. Robert / disques, argent
3. Robert / viande, salade
4. Robert / salade, pommes frites
5. Robert / poisson, fruits

A student Self-Test, with answers for self-correction, appears in the Workbook.
Two unit tests (one written, one oral) appear in the Test Package.

125

ℓecture culturelle

Please refer to page 22 in the front matter of the Teacher's Edition for specific suggestions concerning the supplementary reading selections.

Supplémentaire

Une surprise-partie

René va donner une surprise-partie. Mais qu'est-ce que c'est qu'une surprise-partie? Il y a une différence entre une surprise-partie américaine et une surprise-partie française. Aux États-Unis nous donnons une surprise-partie pour un(e) ami(e) ou un parent mais la personne n'est pas au courant de* la fête. Quand il/elle arrive à la fête, il/elle est complètement surpris(e).

Les Français donnent des surprises-parties aussi. Mais la surprise-partie française est une fête tout simple. Il n'y a pas de surprise. Quand les Français donnent une surprise-partie ils invitent des amis ou des parents mais la fête n'est pas une surprise pour une personne spéciale.

Exercice   Qui parle, un Français ou un Américain?

1. Je vais donner une surprise-partie pour Suzanne. Elle va être très contente. Et elle va être très surprise.
2. Vendredi je vais donner une surprise-partie. Je vais inviter des amis chez moi. Nous allons danser et écouter des disques.

---

*n'est pas au courant de   *doesn't know about*

126

qecture culturelle

Une famille ouvrière

la maison des Giraudoux

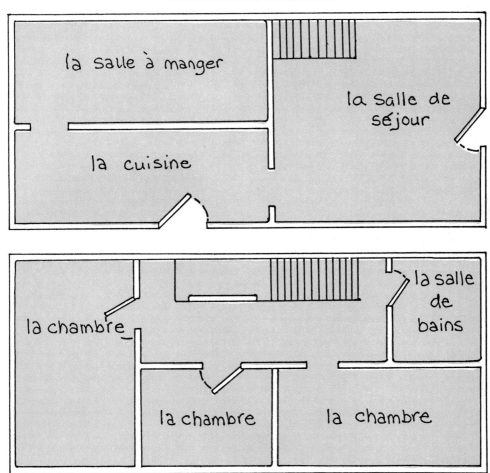

La famille Giraudoux est une famille ouvrière. M. Giraudoux travaille° dans une usine° et Mme Giraudoux travaille dans une banque. Dans la famille Giraudoux il y a trois enfants. Robert et Claudine ne travaillent pas. Ils vont à l'école. Monique a dix-huit ans. Elle ne va pas à l'école. Elle travaille. Elle est vendeuse° à la Samaritaine. La Samaritaine est un grand magasin.

°**travaille** *works*   °**usine** *factory*   °**vendeuse** *salesclerk*

Comme beaucoup de familles ouvrières, les Giraudoux n'habitent pas la ville. Ils habitent la banlieue. La famille Giraudoux a une maison à Boulogne-Billancourt dans la banlieue de Paris. Dans la maison il y a six pièces. La cuisine, la salle à manger et la salle de séjour sont au rez-de-chaussée. Au premier étage il y a trois chambres à coucher et bien sûr une salle de bains.

Exercice Choisissez. *(Choose.)*

1. M. Giraudoux travaille dans une usine. Il est _____ .
   a. ouvrier   b. banquier   c. vendeur

2. Monique a _____ .
   a. trois enfants   b. dix-huit ans   c. un grand magasin

3. Monique travaille dans _____ .
   a. une usine   b. un grand magasin   c. une banque

4. La Samaritaine est _____ .
   a. un marché   b. une boutique   c. un grand magasin

5. Beaucoup de familles ouvrières en France habitent _____ .
   a. la banlieue   b. la ville
   c. les arrondissements élégants de Paris

6. Les Giraudoux habitent _____ .
   a. une maison privée   b. un appartement   c. une villa

Lecture culturelle

Supplémentaire

La Martinique

La Martinique est une île tropicale dans la mer des Caraïbes. Les habitants de la Martinique sont des Martiniquais. Les Martiniquais parlent français parce que la Martinique est un département français. À la Martinique il y a beaucoup d'influence française et il y a aussi beaucoup d'influence africaine. Beaucoup de Martiniquais sont d'origine africaine.

Comme c'est une île tropicale, il fait toujours chaud à la Martinique. Beaucoup de Français, de Canadiens-français et d'Américains aiment passer les vacances d'hiver à la Martinique. Quand il fait froid dans le Nord, il fait chaud à la Martinique. Le tourisme est une industrie importante pour les Martiniquais.

Exercice Répondez.

1. Qu'est-ce que c'est que la Martinique?
2. Où est la Martinique?
3. Qui sont les habitants de la Martinique?
4. Parlent-ils français ou anglais?
5. Est-ce qu'il y a beaucoup d'influence africaine à la Martinique?
6. Pourquoi est-ce qu'il y a beaucoup d'influence africaine?
7. Quel temps fait-il à la Martinique?
8. Qui aime passer les vacances à la Martinique?
9. Aiment-ils aller à la Martinique en été ou en hiver?

129

9 À l'aéroport

Use transparencies for the initial presentation of vocabulary.

Tape Activity 1

À l'aéroport

Vocabulaire

l'ordinateur

le comptoir
de la ligne aérienne

le passager

l'employée

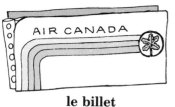

le billet

le passeport

la carte d'embarquement

la valise   le porteur

la porte

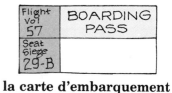

le vol   l'indicateur (m)

le contrôle de sécurité

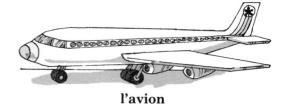

l'avion

Exercice 1   À l'aéroport
Répondez.

1. Est-ce que le passager est au comptoir de la ligne aérienne?
2. Parle-t-il avec l'employée?
3. Est-ce qu'il donne son billet et son passeport à l'employée?
4. Est-ce que l'employée donne une carte d'embarquement au passager?
5. Est-ce que les passagers passent par le contrôle de sécurité?
6. Après ça, vont-ils à la porte?

Tape Activity 2

Exercice 2   Qu'est-ce que c'est?

1.

4.

2.

5.

3.

6.

Le porteur aide le passager avec les bagages.

Le passager **montre** son billet à l'employée.

Il **choisit sa place.**

Il **fait enregistrer** ses bagages.

— **Bon voyage,** monsieur!

L'avion **atterrit.**
Les passagers **finissent leur** voyage.

Exercice 3 Un passager arrive.
Tape Activity 4
Répondez.

1. Qui aide le passager avec les bagages?
2. Qu'est-ce que le passager montre à l'employée?
3. Qu'est-ce qu'il choisit?
4. Qu'est-ce qu'il fait enregistrer?

Exercice 4 À l'aéroport
Complétez.

1. Le porteur n'aide pas le passager avec son billet. Il aide le passager avec ses

   _____ .

2. Le passager ne montre pas son billet au porteur. Il montre son billet à _____ .
3. Le passager ne choisit pas ses bagages. Il choisit sa _____ .
4. Les passagers ne commencent (*begin*) pas leur voyage. Ils _____ leur voyage.

132

Structure

Les verbes en *-ir* au présent

Most French verbs are regular **-er** verbs. You already know how to use **-er** verbs in the present tense. Another group of regular verbs have infinitives ending in **-ir.** Study the present tense forms of regular **-ir** verbs. Pay particular attention to the endings.

Infinitive	**choisir**	**finir**	ENDINGS
Stem	chois-	fin-	
Present tense	je choisis	je finis	-is
	tu choisis	tu finis	-is
	il/elle choisit	il/elle finit	-it
	nous choisissons	nous finissons	-issons
	vous choisissez	vous finissez	-issez
	ils/elles choisissent	ils/elles finissent	-issent
Imperative	Choisis!	Finis!	
	Choisissons!	Finissons!	
	Choisissez!	Finissez!	

Write the verbs on the board and underline the endings.

Note that the final consonant of all the singular forms is silent.

Exercice 1 **Madame fait un voyage.**
Répondez. Tape Activity 6

Exercises can be done orally, then read and written.

1. Est-ce que Madame Lemoine choisit un vol d'Air France?
2. Choisit-elle le vol numéro quinze?
3. Choisit-elle sa place dans l'avion?
4. Après le voyage, est-ce que l'avion atterrit?
5. Atterrit-il à sept heures?
6. Est-ce que Madame Lemoine finit son voyage?

Exercice 2 **Personnellement**
Répondez.

1. Choisis-tu un restaurant cher ou économique?
2. Dans le restaurant, choisis-tu de la viande ou du poisson?
3. Choisis-tu un dessert?
4. Quand tu finis le dîner, laisses-tu un pourboire pour le garçon?

Exercice 3 Pardon?
Suivez le modèle.

Students can work in pairs.

Nous choisissons un restaurant
économique.
Pardon? Qu'est-ce que vous choisissez?

1. Nous choisissons un steak frites.
2. Nous choisissons des légumes.
3. Nous choisissons une salade.

4. Nous choisissons un dessert.
5. Nous finissons le dîner.

Expansion: Students can make
up original statements with the
verbs **choisir** and **finir**.

Exercice 4 Au comptoir
Répondez.

1. Est-ce que les passagers choisissent leurs places?
2. Choisissent-ils leurs places au comptoir de la ligne aérienne?
3. Choisissent-ils un vol direct?

Tape Activities 7–8   Workbook Exercises C–E   Administer Quiz 2.

Les adjectifs possessifs

Possessive adjectives are used to express possession or ownership. Like other adjectives, a possessive adjective must agree with the noun it modifies. The adjectives **mon** (*my*), **ton** (*your*, familiar), and **son** (*his* or *her*) have three singular forms each.

Masculine singular	mon billet	ton billet	son billet
Feminine singular	ma carte	ta carte	sa carte
Masculine or feminine plural	mes billets mes cartes	tes billets tes cartes	ses billets ses cartes

Note that **son, sa, ses** can mean either *his* or *her*. The agreement is made with the item and not with the owner of the item.

Before a singular noun that begins with a vowel, the masculine form **mon, ton, son** is used even if the noun is feminine.

Masculine or feminine singular before a vowel	mon ami mon amie	ton ami ton amie	son ami son amie

134

The possessive adjectives **notre** (*our*), **votre** (*your* formal and plural), and **leur** (*their*) have only two forms—singular and plural:

Singular	notre billet notre carte	votre billet votre carte	leur billet leur carte
Plural	nos billets nos cartes	vos billets vos cartes	leurs billets leurs cartes

French speakers use **ton, ta, tes** with people whom they address as **tu**. They use **votre, vos** with people they address as **vous**.

Remember to make a liaison with **mon, ton, son,** and all the plural forms of the possessive adjectives when the following noun begins with a vowel or a silent **h**.

mon ami
ses élèves

It is recommended that exercises 5–10 be done orally first. Try to insist that students use proper intonation to reinforce the naturalness of the response.

Exercice 5 Où est ton passeport?
Répondez d'après le modèle.

Où est ton passeport? Tape Activity 9
Voici mon passeport.

1. Où est ton ami?
2. Où est ton amie?
3. Où est ton billet?
4. Où est ta carte d'embarquement?

5. Où est ta valise?
6. Où est ta place?
7. Où sont tes bagages?
8. Où sont tes billets?

Exercice 6 Tu as ton billet?
Suivez le modèle. Tape Activity 10

J'ai mon billet.
Richard, est-ce que tu as ton billet aussi?

1. J'ai mon passeport.
2. J'ai mon billet.
3. J'ai ma carte d'embarquement.

4. J'ai ma valise.
5. J'ai mes bagages.
6. J'ai mes disques.

Exercice 7 Où est le frère de Jacques?
Suivez le modèle. Tape Activity 11

Exercises 7 & 8 separate masculine and feminine possessors. Students are sometimes confused as to whether the agreement is with the possessor or the thing possessed.

Où est le frère de Jacques?
Son frère est là-bas.

1. Où est le cousin de Jacques?
2. Où est le copain de Jacques?
3. Où est la sœur de Jacques?

4. Où est la copine de Jacques?
5. Où sont les amis de Jacques?
6. Où sont les copains de Jacques?

Exercice 8 Son frère est sympa.

Tape Activity 12

Suivez le modèle.

Voici le frère de Carole.
Son frère est très sympa.

1. Voici l'ami de Carole.
2. Voici le cousin de Carole.
3. Voici la mère de Carole.

4. Voici la sœur de Carole.
5. Voici les frères de Carole.
6. Voici les copains de Carole.

Exercice 9 Parlons de vous.

Tape Activity 13

Répondez avec *Nous.*

1. Est-ce que vous parlez avec votre professeur de français?
2. Est-ce que vous faites un voyage avec votre classe de français?
3. Est-ce que vous montrez votre billet à l'employée?
4. Est-ce que vous choisissez vos places?
5. Est-ce que vous faites enregistrer vos bagages?

Exercice 10 La famille Dupont

Tape Activity 14

Répondez.

1. Est-ce que leur appartement est à Paris?
2. Est-ce que leurs amis habitent Paris aussi?
3. Est-ce qu'ils font un voyage avec leurs amis?
4. Vont-ils à leur maison de Nice?
5. Vont-ils à leur maison de Nice en été?

Exercice 11 René n'a pas son billet!

Complétez la conversation.

136

Exercice 12 Complétez.

René a une sœur. _____ sœur a seize ans. René a un frère aussi. _____ frère a dix-huit ans. Aujourd'hui René, _____ sœur et _____ frère vont à Nice avec _____ amis. _____ amis ont une maison à Nice.

Nous n'avons pas de maison à Nice. Nous avons un appartement à Paris. Nous aimons beaucoup _____ appartement. Nous aimons _____ six pièces.

Vous habitez à Chicago, n'est-ce pas? Où est _____ maison ou _____ appartement?

Tape Activity 15   Workbook Exercise F–G
Administer Quiz 3.

Les adjectifs en -*en* ou -*on*

Study the forms of the following adjectives.

Masculine singular	canadien	aérien	bon
Feminine singular	canadienne	aérienne	bonne
Masculine plural	canadiens	aériens	bons
Feminine plural	canadiennes	aériennes	bonnes

Many adjectives whose masculine form ends in **-n** will double the **n** in the feminine form. Notice the nasal pronunciation of the masculine singular and plural forms.

Exercice 13 Complétez.

La ligne _____ (aérien) _____ (canadien) organise des vols _____ (européen) et ils ont un très _____ (bon) service. Je voudrais bien avoir une _____ (bon) place sur un avion _____ (canadien) et faire un _____ (bon) voyage _____ (européen).

Prononciation

Tape Activities 16–18

Le son é

Final *er*

dîner	regarder
janvier	aimer
février	préparer

Final *ez*

chez	complétez
allez	lisez
répétez	préférez

é

été	théâtre
télé	cinéma
René	école

Pratique et dictée

René prépare le dîner.
Vous aimez regarder la télé?
Vous allez danser chez les Desroches.

Préférez-vous le cinéma?
En été vous n'allez pas à l'école.

Note

In French the word **on** is called an indefinite pronoun. It can mean *one, they, we, you, people*. It is used when the subject does not refer to any particular person. Note that the pronoun **on** takes the **il/elle** form of the verb.

Écoute! On annonce le départ de notre vol.
On parle français à Montréal.

Conversation

Au comptoir de la ligne aérienne

Tape Activities 19–20

L'employé Bonsoir, madame. Où allez-vous ce soir?

Mme Benoît Je vais à Montréal.

L'employé Votre billet, s'il vous plaît. Très bien. Le vol 201 à destination de Montréal. Vous avez des bagages?

Mme Benoît Oui. Voici mes deux valises.

L'employé Très bien, madame. Voici votre carte d'embarquement. Ce soir on choisit les places à la porte. Malheureusement, notre ordinateur est en panne.*

Exercice Complétez.

1. Mme Benoît est au _____ .
2. Elle parle avec _____ .
3. Ce soir elle va à _____ .
4. Le numéro de son vol est _____ .
5. La destination de son vol est _____ .
6. Mme Benoît a deux _____ .
7. L'employée donne à Mme Benoît sa _____ .
8. Ce soir on ne choisit pas les places au comptoir. On choisit les places à la _____ .
9. _____ est en panne.

---

*en panne *out of order*

Options for **Conversation**:
1. Class can practice it orally.
2. Students can present it to class.
3. Students can work in pairs at their seats.
4. Students can read the conversation.
5. Students can write the answers to the Exercice.
6. Students can prepare a skit.

ꟼecture culturelle

On va faire un voyage

La classe de Mme Benoît arrive à l'aéroport de leur ville. Les élèves sont très contents. Ils vont faire un voyage à Montréal. Ils vont à Montréal pour faire du ski et aussi pour pratiquer et perfectionner° leur français. Mais, est-ce qu'on parle français à Montréal? Bien sûr. Dans la province canadienne de Québec et aussi dans les provinces maritimes° on parle français.

Dans l'aéroport les élèves vont au comptoir de la ligne aérienne. Ils montrent leurs billets à l'employé. Ils font enregistrer leurs bagages. Ils choisissent leurs places. L'employé donne aux élèves leurs cartes d'embarquement.

Alors on annonce:

«Attention, s'il vous plaît. La compagnie aérienne annonce le départ de son vol 201 à destination de Montréal. Embarquement immédiat, porte numéro 12.»

— Écoutez! On annonce le départ de notre vol.

Mme Benoît explique° à sa classe qu'on va d'abord° au contrôle de sécurité. Ensuite° on va à la porte numéro douze.

Bon voyage, classe, et bienvenus° à bord!

° **perfectionner** *to improve* ° **Les provinces maritimes sont la Nouvelle-Écosse** (*Nova Scotia*), **le Nouveau-Brunswick et l'île du Prince-Édouard.** ° **explique** *explains* ° **d'abord** *first* ° **ensuite** *then* ° **bienvenus** *welcome*

139

Exercice Choisissez.

1. Qui arrive à l'aéroport?

   a. Les employés de la ligne aérienne.
   b. Mme Benoît et sa fille.
   c. La classe de Mme Benoît.

2. Comment sont les élèves de Mme Benoît?

   a. Très forts en français.
   b. Très tristes.
   c. Très contents.

3. Où sont-ils?

   a. À l'aéroport de leur ville.
   b. Dans l'avion.
   c. À Montréal.

4. Où vont-ils?

   a. À leur ville.
   b. À Montréal.
   c. À la porte numéro 201.

5. Qu'est-ce qu'ils vont faire à Montréal?

   a. Ils vont aller à une école canadienne.
   b. Ils vont faire du ski.
   c. Ils vont faire un voyage aux provinces maritimes.

6. Qu'est-ce qu'on parle à Montréal?

   a. Espagnol.
   b. Français.
   c. Anglais.

7. Qu'est-ce qu'ils montrent à l'employé de la ligne aérienne?

   a. Leurs bagages.
   b. Leurs billets.
   c. Leurs cartes d'embarquement.

8. Qu'est-ce que les élèves choisissent au comptoir de la ligne aérienne?

   a. Leurs billets.
   b. Leurs bagages.
   c. Leurs places.

9. Qu'est-ce qu'on annonce?

   a. L'arrivée de leur vol.
   b. Le départ de leur vol.
   c. Le départ d'un vol à destination de Paris.

10. D'abord, où vont les élèves?

    a. À la classe de Mme Benoît.
    b. À la porte.
    c. Au contrôle de sécurité.

Activités

(Optional)

1 Voici l'indicateur dans l'aéroport de Roissy. Donnez les destinations des vols.

- Le vol numéro PA 081 va à _____ .
- Le vol numéro _____ va à Ajaccio.

HOR.	VOL	DESTINATION	ZONE	OBSERVATIONS
0940	A06089	PALMA	3	
1000	A06063	PALMA	3	
1200	PA 081	LOS ANGELES	3	
1205	JR 561	DUBROVNIK	3	
1300	FQ 511	TEL-AVIV	4	
1400	CS 166	AJACCIO	4	
1400	CS 400	BASTIA	4	
1400	QH8805	NEW YORK	3	
1415	FQ 843	ATHENES	4	
1415	SF9134	AJACCIO	4	ZONE 4

2 Voici une carte d'embarquement. Donnez:

- le nom (*name*) du passager
- le numéro de son vol
- sa destination
- le numéro de sa place

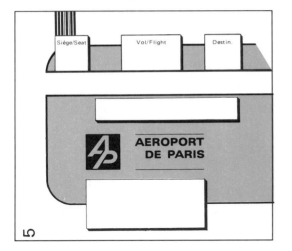

3 Say all you can about the illustration.

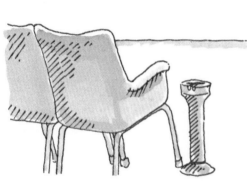

galerie vivante

L'aéroport Charles-de-Gaulle, Roissy (Paris)

Les passagers sont au comptoir de la ligne aérienne à l'aéroport d'Orly à Paris. Avec qui parlent-ils?

L'aéroport de Montréal

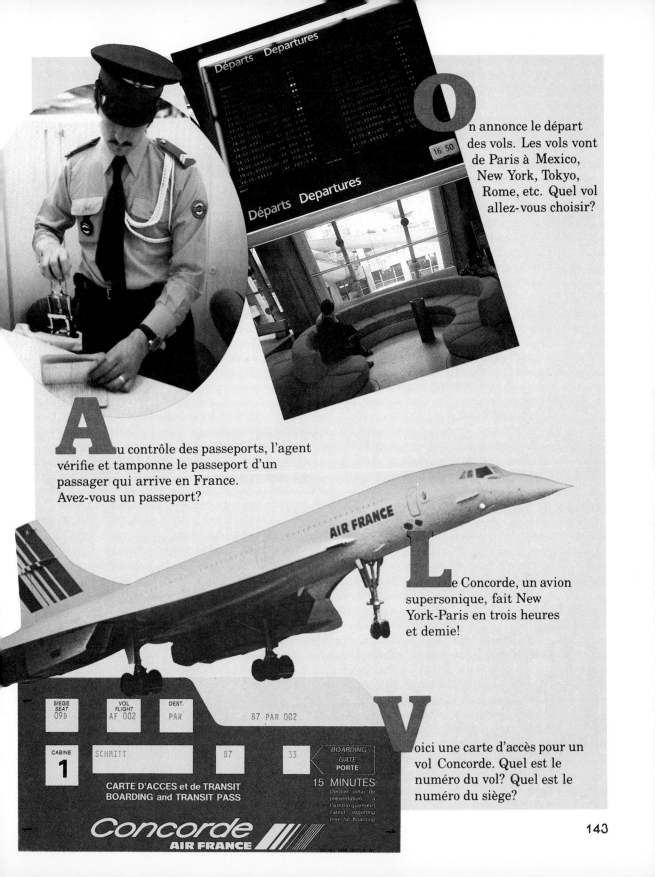

On annonce le départ des vols. Les vols vont de Paris à Mexico, New York, Tokyo, Rome, etc. Quel vol allez-vous choisir?

Au contrôle des passeports, l'agent vérifie et tamponne le passeport d'un passager qui arrive en France. Avez-vous un passeport?

Le Concorde, un avion supersonique, fait New York-Paris en trois heures et demie!

Voici une carte d'accès pour un vol Concorde. Quel est le numéro du vol? Quel est le numéro du siège?

143

10 Dans une station de ski

Present the vocabulary initially with the overhead transparencies.

Tape Activity 1

Vocabulaire

Dans une station de sports d'hiver

une montagne   une piste

une skieuse   un skieur

un télésiège

un ticket

un guichet

vendre

attendre

monter

descendre

144

Voici le parc du **mont** Sainte-Anne.
C'est **une station de ski.**

Tape Activity 2

Paul et Nathalie descendent la piste.
Ils descendent très **vite.**
Philippe monte sur la montagne.

Ask questions
about each sentence.

Les skieurs **attendent** le télésiège.
On vend les tickets pour le télésiège au
guichet.

Exercice 1 Le mont Sainte-Anne
Complétez.

1. Le parc du mont Sainte-Anne est une _____ .
2. Les skieurs attendent le _____ .
3. Ils attendent le télésiège pour _____ la montagne.
4. On vend les tickets pour le télésiège au _____ .
5. Paul et Nathalie ne montent pas sur la montagne. Ils _____ la montagne.

Tape Activities 3–4

145

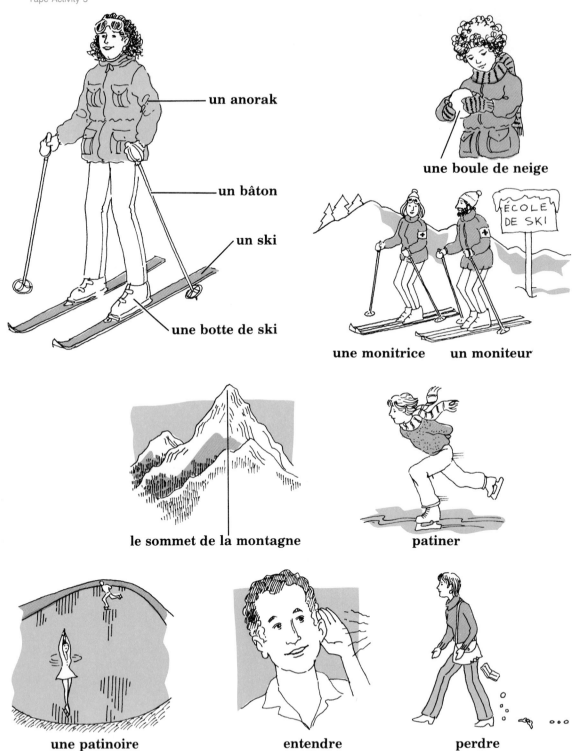

un anorak

un bâton

un ski

une botte de ski

une boule de neige

ÉCOLE DE SKI

une monitrice   un moniteur

le sommet de la montagne

patiner

une patinoire

entendre

perdre

A complete vocabulary list appears in the
Teacher's Resource Kit.

Exercice 2   À la station de ski Tape Activity 6
Répondez.

1. Est-ce que les skieurs montent au sommet de la montagne?
2. Est-ce qu'ils ont leurs skis et leurs bâtons?
3. Est-ce qu'ils ont des bottes de ski?
4. Est-ce que tout le monde a un anorak?
5. Est-ce que l'enfant fait une boule de neige?
6. Est-ce qu'on patine sur la patinoire?

Tape Activity 7
Le temps en hiver

Il fait froid.   Il neige.   Il fait du vent.

Tape Activity 8

Il fait deux degrés.
(Il fait zéro. [0°])
(Il fait moins deux. [−2°])

Exercice 3   En hiver
Répondez.   Tape Activity 9

1. En hiver, fait-il chaud ou froid?
2. Est-ce qu'il neige?
3. Fait-il du vent?
4. Est-ce que les vents d'hiver sont forts?
5. Quelle température fait-il?

Workbook Exercises A–C
Administer Quiz 1.

Expansion:
Have students talk about
what they see in the photograph.

147

Structure

Les verbes en -re au présent

Another group of regular verbs have infinitives ending in **-re.** Study the present tense forms of regular **-re** verbs, paying special attention to the endings. The stem is found by dropping **-re** from the infinitive.

Infinitive	attendre	vendre	ENDINGS
Stem	attend-	vend-	
Present tense	j'attends	je vends	-s
	tu attends	tu vends	-s
	il/elle attend	il/elle vend	—
	nous attendons	nous vendons	-ons
	vous attendez	vous vendez	-ez
	ils/elles attendent	ils/elles vendent	-ent
Imperative	Attends!	Vends!	
	Attendons!	Vendons!	
	Attendez!	Vendez!	

Note that the **d** of the stem is silent in the singular forms. It is pronounced in the plural forms.

Since the **il/elle** form already ends in the consonant **d,** it is not necessary to add a **t** in the inverted question form. The **d** is pronounced /t/ in the inverted form.

/t/ /t/
vend-il   attend-elle

You have already encountered the verb **répondre** (*to answer*). **Répondre** is one of the verbs that does not take a preposition in English but takes one in French.

L'élève répond à la question.   *The student answers the question.*

On the other hand, some verbs take a preposition in English but not in French. *To wait for* (**attendre**) is such a verb.

Les skieurs attendent le télésiège.   *The skiers are waiting for the chair lift.*

Exercice 1   Un petit accident
Répondez d'après l'illustration.

1. Est-ce que les skieurs attendent le télésiège?

4. Est-ce qu'un skieur perd un ski?

2. Descendent-ils la piste?
3. Descendent-ils vite?

5. Descend-il la piste à pied?
6. Entend-il le moniteur?

Exercises 1–3 are learning exercises. Exercise 4 is a test exercise.

Exercice 2   Moi aussi
Suivez le modèle.

Gérard attend le moniteur.
Moi aussi, j'attends le moniteur.

1. Gérard attend le moniteur.
2. Il attend la leçon de ski.

3. Il entend la question du moniteur.
4. Il répond à la question.

Exercice 3   Nous descendons!
Suivez le modèle.

Nous attendons le télésiège...
Nous attendons le télésiège et vous attendez le télésiège aussi.

1. Nous attendons le moniteur...
2. Nous descendons la piste...

3. Nous descendons vite...
4. Hélas, nous perdons nos skis...

Exercice 4 C'est dangereux!
Complétez.

Expansion:
1. Have students retell the story in their own words.
2. Have students make up questions about the story.

1. Les skieurs _____ le télésiège. **attendre**
2. On _____ les tickets pour le télésiège au guichet. **vendre**
3. Moi, j'aime beaucoup skier. Je _____ les pistes très vite. **descendre**
4. Voilà mon ami Charles. Oh là là! Il _____ un bâton. **perdre**
5. Charles! Tu _____ avec un seul bâton? **descendre**
6. Charles! C'est dangereux ça! _____ le moniteur! **attendre**
7. Charles, tu _____ ou non? **entendre**
8. Voici le moniteur. Nous _____ avec le moniteur sans problème. Pas d'accident. **descendre**

Workbook Exercises D–E
Tape Activities 10–12
Administer Quiz 2.

L'adjectif interrogatif: *quel, quels, quelle, quelles*

The word **quel** is the interrogative adjective that means *What _____?* or *Which _____?* All the forms of **quel** sound the same in spoken French. However, the spelling changes according to gender (masculine or feminine) and number (singular or plural).

Masculine singular	quel	Quel sport aimes-tu?
Masculine plural	quels	Quels sports aimes-tu?
Feminine singular	quelle	Quelle piste descends-tu?
Feminine plural	quelles	Quelles pistes descends-tu?

When one of the plural forms precedes a noun that begins with a vowel or a silent **h,** liaison is made and the **s** is pronounced /z/.

/z/
Avec quelles͜ amies fais-tu du ski?

/z/
Avec quels͜ amis fais-tu du ski?

Exercice 5 Je suis sportif.
Suivez le modèle.   Tape Activity 13

J'aime beaucoup les sports.
Ah, oui? Quels sports aimes-tu?

1. J'aime beaucoup les sports d'hiver.
2. J'aime beaucoup le moniteur.
3. J'aime beaucoup le parc.
4. J'aime beaucoup les pistes.
5. J'aime beaucoup les bottes.
6. J'aime beaucoup la patinoire.
7. J'aime beaucoup les disques.

L'exclamation *Quel _____* !

Quel can be used before a noun to convey the exclamation *What _____* ! or
What a _____ !

| **Quel athlète!** | *What an athlete!* |
| **Quelle jolie fête!** | *What a nice party!* |

Exercice 6 Suivez le modèle.

Oh là là! Quelle skieuse!

1.

2.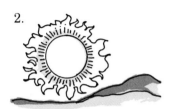

3.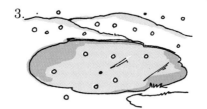

4.

5.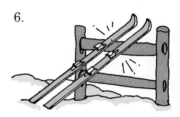

6.

Workbook Exercises F–G

L'adjectif *tout, tous, toute, toutes*

The adjective **tout** is used with the definite article (**le, la, l', les**). **Tout le,
toute la, tous les, toutes les** can mean *all the, the entire,* or *every.* Like other
adjectives, **tout** must agree in gender and number with the noun it modifies. Study
the forms of **tout.**

Masculine singular	tout	tout le magasin *the whole store*
Masculine plural	tous	tous les magasins *every store, all the stores*
Feminine singular	toute	toute la classe *the whole class, the entire class*
Feminine plural	toutes	toutes les classes *all the classes, every class*

Note that the expression **tout le monde** means *everyone* or *everybody.*

Exercice 7 La classe fait un voyage.
Complétez l'histoire avec la forme convenable de *tout*.

_____ la classe de Madame Benoît est à l'aéroport. _____ les élèves sont très contents. Ils vont faire un voyage. Ils vont à Montréal. _____ les matins ils vont faire du ski. _____ les garçons et _____ les filles ont leurs skis et leurs bâtons. Pendant _____ le voyage, _____ le monde va parler français.

Tape Activities 14–16

Workbook Exercises H–I
Administer Quiz 3.

𝒫rononciation

Les lettres *j, ch, qu*

Tape Activities 17–18

j	*ch* = "sh"	*qu* = "k"
je	chez	que
joli	chat	qui
jeune	chien	quel
janvier	chanter	quinze
juin	choisis	exquis
juillet	charmant	magnifique

𝒫ratique et dictée

Je choisis juin et juillet.
Qui est cette jolie jeune fille?
Il y a un chat et deux chiens chez moi.
Qui chante cette chanson charmante?

Quel quartier exquis!
Les jeunes gens font de la gymnastique avec Georges.

𝒞onversation

On aime les sports d'hiver!

Brigitte Tu aimes les sports d'hiver, Ginette?
Ginette Ah, oui. J'aime beaucoup faire du ski.
Brigitte Tu descends les pistes difficiles?
Ginette Mais oui. Bien sûr.
Brigitte Pas moi. Je ne skie pas très bien. Je suis débutante.
Ginette Mais quand même, il y a des pistes pour les débutants.

Exercice Débutante et experte
Faites une histoire d'après la conversation.

Ginette parle avec _____ amie, Brigitte. Ginette aime beaucoup les _____ _____ . Elle aime beaucoup faire _____ _____ . Elle _____ les pistes difficiles. Mais Brigitte _____ _____ pas les pistes difficiles. Elle ne _____ pas très bien. Elle est _____ . Mais il n'y a pas de problème. Dans les stations de ski il y a aussi des _____ pour les débutants.

152

Lecture culturelle

On fait du ski

Tape Activities 19–21

Quel journée* splendide! Le soleil brille très fort dans le ciel bleu. Il fait froid et il y a de la neige partout.*

Après un voyage agréable en avion la classe de Mme Benoît est au mont Sainte-Anne. Le parc du mont Sainte-Anne est une station de sports d'hiver près de* la ville de Québec. Après leur arrivée les élèves vont tout de suite* à la montagne. Ils ont tout leur équipement, les skis, les bâtons, les bottes et les anoraks. Ils achètent leurs tickets pour le télésiège. Ils attendent un peu et ensuite ils commencent à monter. Ils montent jusqu'au* sommet de la montagne. Quelle vue splendide!

---

journée   *day*
partout   *everywhere*
près de   *near*
tout de suite   *immediately*
jusqu'au   *all the way to*

153

— On va descendre, crie* Thérèse.

Ils poussent* sur les bâtons et la descente commence. Ils descendent très vite.
Le pauvre Paul! Il est débutant. Regarde! Il perd un bâton. Va-t-il tomber?* Oh là
là! Oui, il tombe. Il commence à rouler.* Il roule et roule. Il roule deux cents mètres
jusqu'au bout* de la piste.

— Paul! Tout va bien? crient les autres.

— Oui, oui. Tout va bien, répond-il. Mais je suis couvert de neige. Je suis
couvert de la tête* aux pieds.

— Tu es une boule de neige, crie un copain.

— Une boule qui roule! Où est mon bâton? Je vais remonter.

— Tu es un vrai casse-cou,* Paul. Bonne chance!*

Exercice Répondez.

1. Quel temps fait-il?
2. Où est la classe de Mme Benoît?
3. Qu'est-ce que c'est que le parc du mont Sainte-Anne?
4. Où vont les élèves tout de suite?
5. Qu'est-ce qu'ils ont?
6. Qu'est-ce qu'ils achètent?
7. Jusqu'où montent-ils dans le télésiège?
8. Comment descendent-ils la piste?
9. Qui est débutant?
10. Qu'est-ce qu'il perd?
11. Jusqu'où roule-t-il?
12. Qui est une boule de neige?
13. Qu'est-ce que Paul va faire?

---

crie *shouts*   *poussent* *push*   *tomber* *to fall*   *rouler* *to roll*   *bout* *end*
tête *head*   *casse-cou* *daredevil*   *chance* *luck*

Activités

(Optional)

1 Répondez aux questions personnelles.

- Où habitez-vous?
- Habitez-vous près des montagnes?
- Est-ce qu'il y a une station de sports d'hiver près de votre ville?
- Aimez-vous les sports d'hiver?
- Aimez-vous faire du ski?

- Faites-vous du ski?
- Skiez-vous très bien ou êtes-vous débutant(e)?
- Aimez-vous patiner?
- Patinez-vous?
- Est-ce qu'il y a une patinoire dans votre ville?

2 Describe what you see in the picture.

3 Have a contest with three friends. See who can make up the most questions about the picture in five minutes.

galerie vivante

Des skieurs experts

Une piste avec tremplin
au Mont-Sainte-Anne au
Québec

Une classe de neige

En France les écoles élémentaires ont des classes de neige. Les enfants vont dans une station de sports d'hiver. Le matin les élèves ont des classes. L'après-midi des moniteurs donnent des leçons de ski aux enfants. Est-ce que nous avons des classes de neige aux Etats-Unis?

Voici un «skipass» pour skier dans la région du Mont Blanc dans les Alpes.

LE PASSEPORT UNIQUE : SKIPASS MONT-BLANC

Du 19 décembre 83 au 11 avril 84 cette carte personnelle plastifiée délivrée (avec photo) par les Offices du Tourisme de 13 stations de la région du Mt-Blanc, vous permet de skier en toute liberté sur la totalité de leur domaine skiable (soit 180 remon- tées mécaniques), d'utiliser les cars réguliers de liaisons entre les stations et les cars-navettes dans chaque station qui en est équipée.

Pour 6 jours consécutifs . . . . 485 FF
Pour 4 jours consécutifs . . . . 360 FF

From december 19 to april 11 1984, this pass sponsored by the tourist offices of Mont-Blanc district enables you to use 180 lifts in the area, and also free use of shuttle buses and regular bus services beetween resorts.
For 6 consecutive days . . . . 485 FF
For 4 consecutive days . . . . 360 FF

Diese persönliche Karte (mit Passbild) erlaubt Ihnen vom 19. Dez. bis 11 April 84 freie Benützung der 180 Bergbahnen und lifte in 13 Skistationen des Mont-Blanc, sowie Buszubringer- dienste und regelmässigen Busverbindungen zwischen dieser Stationen.
Für 6 aufeinander Tage . . . . 485 FF
Für 4 aufeinander Tage . . . . 360 FF

Vert   Rouge
Bleu   Noir

Les couleurs indiquent la difficulté des pistes. Voici les couleurs pour les pistes à Chamonix en France. Est-ce que les débutants descendent les pistes vertes ou rouges? Quelles pistes descendent les experts?

Les filles sont à Valmorel. Est-ce qu'elles montent au sommet de la piste dans une télécabine ou sur un télésiège?

11 À la gare

Vocabulaire

Le train part de **la voie** H, **quai numéro** six.
Le train part pour Marseille.
Le passager **sort** de **la gare.**

Le passager **dort** dans **une couchette.**

On **sert** le dîner dans **le wagon-restaurant.**

Exercice 1 Un voyage en train
Répondez.

1. Est-ce que le train part pour Marseille?
2. De quelle voie part-il? De quel quai?
3. Est-ce que le passager sort de la gare?
4. Est-ce que le passager dort dans le train?
5. Où dort-il?
6. Est-ce qu'on sert le dîner dans le train?
7. Où sert-on le dîner?

Exercice 2 On va à Marseille
Complétez.

1. Le train _____ pour Marseille.
2. Le passager _____ dans la couchette.
3. Le garçon _____ le dîner dans le wagon-restaurant.
4. Après le voyage, le passager _____ du wagon.

158

Structure

Les verbes *sortir, partir, dormir, servir* au présent

The verbs **sortir, partir, dormir,** and **servir** are irregular. Note the short forms in the singular.

Infinitive	sortir	partir	dormir	servir
Present tense	je sors	je pars	je dors	je sers
	tu sors	tu pars	tu dors	tu sers
	il/elle sort	il/elle part	il/elle dort	il/elle sert
	nous sortons	nous partons	nous dormons	nous servons
	vous sortez	vous partez	vous dormez	vous servez
	ils/elles sortent	ils/elles partent	ils/elles dorment	ils/elles servent
Imperative	Sors!	Pars!	Dors!	Sers!
	Sortons!	Partons!	Dormons!	Servons!
	Sortez!	Partez!	Dormez!	Servez!

Note that all the singular forms have the same sound in the spoken language. Note, too, that the plural forms pick up the consonant of the infinitive.

The verb **sortir** has more than one meaning. Used alone, it means *to go out.* **Sortir de** means *to leave* in the sense of *to get out of a place.* If followed by a noun, **sortir** means *to take out.*

> **Après les classes, je sors avec mes amis.**
> **Le passager sort de la gare.**
> **Le passager sort son billet de sa valise.**

The verb **partir** means *to leave.* **Partir de** means *to leave (a place)* or *to leave from (a place).* To say *to leave for (a place)* one can use either **partir à** or **partir pour.**

> **Le train part à dix heures.**   **Nous partons à (pour) Marseille.**
> **Nous partons de Paris.**

Exercice 1   En voyage
Répondez.   Tape Activity 3

1. Est-ce que les passagers partent en train?
2. Partent-ils pour Marseille?
3. Sortent-ils leurs billets dans le train?
4. Dorment-ils dans le train?
5. Est-ce que les garçons servent le dîner dans le wagon-restaurant?
6. Partez-vous en voyage?
7. Partez-vous en train?
8. Partez-vous à neuf heures?

Exercice 2 Personnellement
Répondez.

Tape Activity 4

1. Le matin, est-ce que tu pars pour l'école?
2. À quelle heure pars-tu?
3. Dors-tu en classe?
4. Après les classes, sors-tu de l'école?
5. Sors-tu avec un copain ou une copine?
6. Sort-il (elle) souvent?
7. Avec qui sort-il (elle)?
8. En été, part-il (elle) en vacances?

Expansion:
Have students retell the
information in the Exercise
in their own words.

Exercice 3 On va en vacances.
Lisez la conversation et complétez.

Tape Activity 5

Mlle Ferrer À quelle heure partez-vous demain (*tomorrow*)?
Mme Leclos Nous partons à 17 heures.
Mlle Ferrer Vous partez en train, n'est-ce pas?
Mme Leclos Oui, le train part de la gare de Lyon.
Mlle Ferrer Vous allez dîner dans le train?
M. Leclos Oui, on sert le dîner dans le wagon-restaurant. Tu pars pour Nice demain, n'est-ce pas?
Mlle Ferrer Non, je pars après-demain. Mais je pars en avion.

Students can practice
this mini-conversation in
pairs.

1. M. et Mme Leclos _____ demain.
2. Ils _____ à dix-sept heures.
3. Ils _____ en train.
4. Leur train _____ de la gare de Lyon.
5. Dans le train, on _____ le dîner dans le wagon-restaurant.
6. Mlle Ferrer ne _____ pas demain. Elle _____ après-demain.
7. Elle _____ pour Nice en avion.

Exercice 4 Mon frère et moi
Complétez l'histoire.

Mon frère et moi, nous _____ pour l'école le matin. Nous ne _____ pas à la même heure. Moi, je _____ à sept heures et demie. Mon frère _____ à huit heures.

Nous aimons notre école. Nous aimons nos classes. Je ne _____ pas en classe. Et mon frère ne _____ pas. Après les classes nous _____ avec nos amis. Mon frère _____ avec ses amis et je _____ avec mes amis. _____-vous avec vos amis après les classes? À quelle heure _____-vous de l'école? Et à quelle heure _____-vous pour l'école le matin?

Tape Activity 6
Workbook Exercises C–E
Administer Quiz 2.

Les adjectifs démonstratifs

Study the forms of the demonstrative adjectives (*this, that, these, those*).

Masculine singular (before a consonant)	ce	ce wagon
Masculine singular (before a vowel or silent *h*)	cet	cet anorak cet homme
Feminine singular	cette	cette fille cette école
Masculine or feminine plural	ces	ces wagons ces anoraks ces filles ces écoles

Note that **ce** is used with masculine singular nouns that begin with a consonant. **Cet** is used with masculine singular nouns that begin with a vowel or a silent **h.**

Cette is used with all feminine singular nouns.

Ce, cet, and **cette** all become **ces** in the plural. Note the liaison with nouns that begin with a vowel or a silent **h.**

Since the same words can be used to mean *this* or *that* (*these* or *those* in the plural), the meaning of the demonstrative adjective is often clarified by adding **-ci** or **-là** to the noun. Look at these examples.

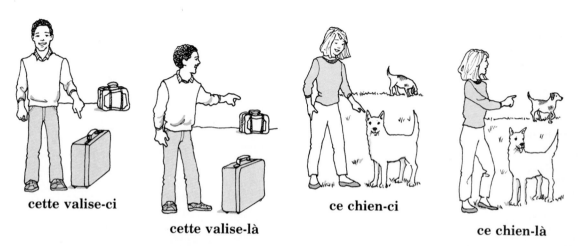

cette valise-ci

cette valise-là

ce chien-ci

ce chien-là

Exercice 5 Répondez.

Tape Activity 7

1. Est-ce que cette fille est intelligente?
2. Est-ce que cette élève est forte en français?
3. Est-ce que cette classe est intéressante?
4. Est-ce que cet athlète est fort?
5. Est-ce que cet élève est intelligent?
6. Est-ce que ce garçon est blond?
7. Est-ce que ce disque est bon?
8. Est-ce que ce billet est pour le train?

Exercice 6 Ces filles-là aussi
Répondez d'après le modèle.

Ces filles-ci sont sportives.
Oui, et ces filles-là aussi.

1. Ces élèves-ci sont très fortes en français.
2. Ces filles-ci sont très enthousiastes pour les sports.
3. Ces élèves-ci sont dans la classe de Madame Benoît.
4. Ces garçons-ci sont bruns.
5. Ces chiens-ci sont adorables.

Exercice 7 Quelle fille?
Suivez le modèle.

Quelle fille?
Cette fille-ci.

1. Quelle élève?
2. Quel élève?
3. Quel copain?
4. Quelle classe?
5. Quel disque?
6. Quels billets?
7. Quelle voie?
8. Quelles rues?

Exercice 8 De quel quai?
Complétez avec la forme convenable de *ce.*

_____ passagers vont partir dans _____ train. Mais _____ train ne part pas de _____ quai-ci. _____ train part de _____ quai-là.

Tape Activity 8

Workbook Exercises F–H
Administer Quiz 3.

Prononciation

Les lettres *ou* et *u*

Be sure to distinguish between these two sounds.

ou	*u*
tout	tu
vous	vue
d'où	du
roule	rue
pour	pur
soupe	sud
beaucoup	salut

Tape Activities 9–10

Pratique et dictée

Salut! Vous êtes du sud?
Où est le menu pour Luc?
Tout est pur, je suis sûr!

Quelle vue de cette rue!
Il y a une boucherie et un supermarché.

Expressions utiles

Tape Activity 11

À la gare

l'indicateur

l'horaire (*m*)

Accès

la salle d'attente

BILLETS

le guichet   **la queue**

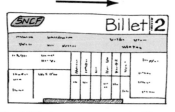

le billet   **un aller**

un billet aller et retour

Dans le train

le contrôleur   **le compartiment**

Conversation

À la gare

Tape Activities 12–13

Sylvie   Marise, le train part à quelle heure?

Marise   À dix-huit heures vingt.

Sylvie   De quel quai part-il?

Marise   De ce quai-là. Le numéro six.

Sylvie   Tu vas acheter les billets maintenant?

Marise   Bonne idée! Il n'y a pas de queue au guichet.

Sylvie   Tu vas acheter les billets aller et retour?

Marise   Oui, et je vais réserver deux couchettes.

Sylvie   D'accord!

Exercice   Choisissez.

1. (Le train / L'avion) part du quai numéro six.
2. (Le quai / La piste) est dans la gare.
3. Marise va (vendre / acheter) les billets.
4. Elle va acheter les billets (au guichet / au quai).
5. Maintenant il n'y a pas de (quai / queue) au guichet.
6. Marise va réserver deux (compartiments / couchettes).

Lecture culturelle

Un voyage en train

    Voici Jean-Luc. Il va faire un voyage. Il va à Marseille. Il va à Marseille en train. Il est maintenant à la gare de Lyon à Paris. Tous les trains qui vont au sud-est partent de la gare de Lyon.

    Quand Jean-Luc arrive à la gare, il va au guichet. Il est content. Il n'y a pas de queue au guichet. Il achète un billet aller et retour en deuxième classe. Son train va partir à vingt-trois heures. Jean-Luc va passer° toute la nuit° dans le train. Il va dormir dans le train. Il réserve une couchette.

    Jean-Luc fait enregistrer ses valises. Ensuite il attend dans la salle d'attente. À vingt-deux heures cinquante on annonce le départ de son train. Il va au quai numéro six. Les contrôleurs crient: «Les voyageurs pour Marseille, en voiture,° s'il vous plaît.»

    Le train part à l'heure.° Un contrôleur arrive dans le compartiment. Il vérifie° les billets. Jean-Luc est fatigué.° Il dort dans la couchette. Le matin il va au wagon-restaurant. On sert le petit déjeuner° dans le wagon-restaurant. Jean-Luc commande un café au lait et des croissants. Après le petit déjeuner le train arrive à Marseille. Jean-Luc commence ses vacances d'été.

°**passer** *to spend*	°**la nuit** *the night*	°**en voiture** *all aboard*	°**à l'heure** *on time*
°**vérifie** *checks*	°**fatigué** *tired*	°**le petit déjeuner** *breakfast*	

Exercice 1 Complétez.

1. Jean-Luc va faire un voyage en _____ .
2. Il va aller à _____ .
3. Il est dans la _____ .
4. Il achète un billet au _____ .
5. Il achète un billet _____ .
6. Il va dormir dans le train et il réserve une _____ .

Exercice 2 Choisissez.

1. Dans la gare Jean-Luc _____ ses valises.
   a. fait enregistrer
   b. vend
   c. sort

2. Jean-Luc attend dans _____ .
   a. le guichet
   b. le compartiment
   c. la salle d'attente

3. On _____ le départ de son train.
   a. commande
   b. regarde
   c. annonce

4. Jean-Luc va _____ numéro six.
   a. au quai
   b. au guichet
   c. au wagon

Exercice 3 Répondez.

1. Qu'est-ce que le contrôleur crie?
2. Qui vérifie les billets dans le train?
3. Où est-ce que Jean-Luc dort?
4. Où va-t-il le matin?
5. Qu'est-ce qu'on sert dans le wagon-restaurant?
6. Qu'est-ce que Jean-Luc commande?
7. Où le train arrive-t-il?

Workbook Exercise I
A lesson test appears in the Test Package.

166

Activités

(Optional)

  Make up a conversation with a
ticket vendor at a train station. Use the
following words and expressions.

- un billet aller et retour
- un aller
- ça fait combien
- à quelle heure

2 Voici un horaire.

- À quelle heure part le train numéro 112?
- De quelle gare part-il?
- Où va-t-il?
- À quelle heure arrive-t-il à Marseille?
- Est-ce que les passagers passent la nuit dans le train?

Numero du train	104	108	112
Paris-Gare de Lyon	20.45	21.03	22.36
Dijon	23.33	23.51	1.15
Lyon	2.19	3.15	4.04
Avignon	3.57	5.05	
Marseille	5.06	7.20	8.10

3 Describe what you see in the picture.

167

SNCF 87 indications de service (observations)	départ		utilisable	parcours simple	nombre total de voyageurs		aller-retour (AR)	renseignements tarifaires			1080
	le	à partir du	jusqu'au		aller	retour		tarif	réduction %	validité	4198649

```
001800-061  *******  ****  **  **  **  **  **  **  *  **  **      13-06-83  005
8715102581  MARSEIL ST O PARIS LYON                                SUDER      14
```

RÉSERVATION		départ			arrivée	TGV VM						C
	train	date	heure	heure								
	824	1406	1357	1935								
	2		08	44	43	02					00	**1800

classe — numéros des places attribuées — nombre de places attribuées — prix perçu

I.P.M.I. 82106 - R.2.1.1106   7 0

Voici un billet pour aller de Marseille à Paris. A quelle heure le train part-il de Marseille? A quelle heure arrive-t-il à Paris? Le billet est pour deux places. Quels sont les numéros des places? Quel est le numéro de la voiture?

Horaires Nice ↔ Marseille ↔ Paris

TGV Gagnez encore du temps sur le temps. SNCF

Le TGV (Train à Grande Vitesse) est un train très rapide. Le TGV fait le trajet Marseille-Paris en cinq heures. Voici l'horaire du TGV. Le train qui part de Marseille à 11 h 54 arrive à Paris à quelle heure?

HORAIRES VALABLES DU 25 SEPTEMBRE 1983 AU 2 JU

			B			
NICE ....D			6.00	8.47	11.24	12.10
CANNES ....D			6.27	9.21	11.49	12.43
ST RAPHAEL ....D			6.52	9.48	12.12	13.06
TOULON ....D	4.35	6.25	7.47	10.53	12.59	13.55
MARSEILLE ....A	5.38	7.35	8.30	11.34	13.42	13.59
	TGV 804a	TGV 808e	TGV 814	TGV 820	TGV 824	TGV 828
MARSEILLE ....D	6.29	7.58	8.45	11.54	14.00	14.51
AVIGNON ....D	7.34	8.59	9.49	12.59	15.00	15.51
VALENCE ....A	8.32	9.55	10.49	13.57		16.49
PARIS ....A	11.33	12.54	13.54	16.58	18.56	19.50

A - Sauf les samedis, dimanches et fêtes et sauf les 31 Octobre,
B - Sauf les 30, 31 Octobre , 22, 29 et 30 Avril , 6 et 7 Mai
C - Sauf les samedis et les 30, 31 Octobre ; 1er Novembre ; 22, 29
D - Sauf les samedis et les 31 Octobre ; 1er et 11 Novembre ; 22 et

ATTENTION ! Certains TGV sont soumis à supplément (

	TGV 803a	TGV 807	TGV 811	TGV 815e	TGV 821	TGV 827	TGV 831	TGV 835
PARIS ....D	6.55	7.44	10.10	11.42	12.48	15.10	16.49	17.46
VALENCE ......D	9.50	10.47	13.07	14.37	15.43	18.07	19.54	20.43
AVIGNON ......D	10.46	11.45	14.05	15.33	16.39	19.05	20.52	21.42
MARSEILLE ....A	11.48	12.51	15.07	16.35	17.40	20.11	21.54	22.44
MARSEILLE ....D	12.08		13.17	15.18	16.48	17.57	20.31	22.04
TOULON ....A	13.16		14.00	16.03	17.29	18.37	21.13	22.45
			14.50	16.56	18.14	19.29	22.01	23.32
ST RAPHAEL ....A			15.17	17.22	18.37	19.53	22.24	23.56
CANNES ....A			15.48	18.00	19.02	20.18	22.52	0.23
NICE ....A								

La Gare du Nord à Paris
Quels trains partent de la Gare du Nord, les trains qui vont vers le nord ou les trains qui vont vers le sud? De quelle gare partent les trains qui vont vers le sud?

Voici la gare à Nice. Le train qui va partir à dix heures cinq va à Ventimiglia sur la frontière italienne. Sur quel quai est-ce que les passagers attendent le train?

Voici l'intérieur du TGV. Est-ce qu'on sert le dîner dans la voiture? Est-ce que les passagers vont au wagon-restaurant?

12 Au bord de la mer

Une station balnéaire   Tape Activity 1

vocabulaire

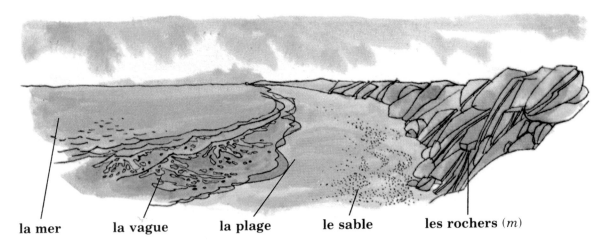

la mer   la vague   la plage   le sable   les rochers (*m*)

Tout le monde est à la plage.   Tape Activity 2
Les uns prennent un bain de soleil.
Les autres prennent **un bain de mer.**

Exercice 1   Une station balnéaire   Tape Activity 3
Répondez.

1. Est-ce que tout le monde est à la plage?
2. On va à la plage en été ou en hiver?
3. Les gens prennent des bains de soleil
   à la plage?
4. Prennent-ils des bains de mer?
5. Est-ce qu'il y a des vagues dans la mer?
6. Est-ce qu'il y a du sable sur la plage?
7. Est-ce que les rochers sont dangereux?

Tape Activity 4

**faire du ski
nautique**

**faire de la plongée
sous-marine**

**faire de la planche
à voile**

plonger

nager

Tape Activity 5

Gisèle est à **la
piscine.**

Elle **porte un
maillot.**

Elle a de **la lotion
solaire.**

Tape Activities 6–7

Exercice 2   À la plage
Choisissez.   Tape Activity 8

Expansion: Have students make up their
own sentences. Example: 1. **Jean porte un
anorak quand il skie.**

1. Jean est à la plage.
   a. Il porte un anorak.
   b. Il porte un maillot.
   c. Il porte des bottes.

2. Je voudrais nager.
   a. Je vais aller à la mer.
   b. Je vais aller sur les rochers.
   c. Je vais aller à la montagne.

3. Aujourd'hui il y a beaucoup de soleil.
   a. Oui, où est le sable?
   b. Oui, où est ma lotion solaire?
   c. Oui, où est mon bâton?

4. Nice est sur la mer.
   a. Nice est une station de sports d'hiver.
   b. Nice est une piscine.
   c. Nice est une station balnéaire.

5. Regardez les vagues.
   a. J'adore le sable.
   b. J'adore la mer.
   c. J'adore la piscine.

Exercice 3   Qu'est-ce que tu vas faire?

1. Je vais...   2. Je vais...   3. Je vais...   4. Je vais...   5. Je vais...

Workbook Exercises A–B
Administer Quiz 1.

171

Structure

Les verbes *prendre, comprendre, apprendre* au présent

Study the forms of the irregular verb **prendre**.

Infinitive	prendre
Present tense	je prends
	tu prends
	il/elle prend
	nous prenons
	vous prenez
	ils/elles prennent

The singular forms of the verb **prendre** follow the same pattern as a regular **-re** verb. Pay particular attention to the spelling and pronunciation of the plural forms. The **nous** and **vous** forms have one **n** and the **ils/elles** form has a double **nn**.

Prendre usually means *to take*, but with foods and beverages it means *to have*.

> **Je prends du lait.**
> **Je vais prendre un sandwich.**

Two other verbs that are conjugated like **prendre** are **apprendre** and **comprendre**. **Apprendre** means *to learn*. It is followed by **à** when the meaning is *to learn how to do something*.

> **J'apprends le français à l'école.**
> **Nous apprenons à faire de la plongée sous-marine.**

The verb **comprendre** means *to understand*.

> **Comprenez-vous le français?**
> **Bien sûr! Je comprends très bien le français.**

Exercice 1   Gisèle va à la plage.
Répondez.

1. Est-ce que Gisèle prend son maillot pour aller à la plage?
2. Prend-elle aussi de la lotion solaire?
3. Sur la plage, prend-elle un bain de soleil?
4. Prend-elle aussi un bain de mer?

Exercice 2 Apprends-tu à nager?
Répondez.

1. À la plage, apprends-tu à nager dans la mer?
2. Apprends-tu à faire du ski nautique?
3. Apprends-tu à faire de la plongée sous-marine?
4. Apprends-tu à faire de la planche à voile?

Exercice 3 Au café.
Vous êtes au café. Demandez à vos amis ce qu'ils prennent.

1. Thérèse, qu'est-ce que tu _____?

3. Aline,...

2. André,...

4. Simon,...

Exercice 4 Au café
Pratiquez la conversation. Vous pouvez employer ces mots:

du café   un sandwich   de l'eau minérale
des gâteaux   un coca

— Qu'est-ce que vous prenez, mes amis?
— Nous prenons _____ .
— Et vous, qu'est-ce que vous prenez?
— Nous prenons _____ .

Expansion:
Have students change the
mini-conversation, using
words of their
own choice.

173

Exercice 5 Mes amis sont sportifs.
Suivez le modèle.

Mes amis apprennent à nager.

1. 2. 3. 4.

Exercice 6 Au bord de la mer
Complétez.

Quand je vais à la plage, je _____ (prendre) toujours de la lotion solaire. Pourquoi ça? Moi, j'adore le soleil et je _____ (prendre) des bains de soleil. J'aime bien aller à la plage en été avec mes copains. Mon ami Richard, il _____ (prendre) des bains de mer. Il nage très bien. Annette et Carole _____ (apprendre) à faire de la planche à voile. Elles sont très sportives et elles _____ (apprendre) très vite. Moi, je ne _____ (comprendre) pas ça. Je trouve la planche à voile très difficile. Je tombe toujours et je commence à rouler avec les vagues. Je sors de la mer, le maillot rempli (*full*) de sable.

Après trois heures (*hours*) à la plage, nous allons au café. Au café nous parlons et nous _____ (prendre) un coca, une limonade ou de l'eau minérale.

Tape Activities 9–10

Workbook Exercises C–F
Administer Quiz 2.

Les pronoms accentués

Compare the stress pronouns and the subject pronouns.

Stress pronouns	Subject pronouns	
moi	je	Moi, je suis américain(e).
toi	tu	Toi, tu es français(e).
lui	il	Lui, il nage beaucoup. *neige*
elle	elle	Elle, elle fait du ski nautique.
nous	nous	Nous, nous allons toujours à la plage.
vous	vous	Vous, vous allez au café.
eux	ils	Eux, ils prennent un coca.
elles	elles	Elles, elles prennent une limonade.

174

The stress or emphatic pronouns are used in several ways in French:

1. After a preposition (à, avec, pour, chez, etc.)

   On va chez lui, pas chez elle.
   Elle va nager avec nous.
   La fête est pour eux.

Point to people in the class as you use each pronoun.

2. In a short sentence when the verb is omitted.

   Qui nage? Moi!
   Qui prend un bain de soleil? Elle!

3. To reinforce or to emphasize the subject pronoun.

   Moi, j'aime beaucoup faire de la planche à voile.
   Lui, il déteste faire de la planche à voile.

4. Before and after the words **et** or **ou**.

   Marie et moi, nous allons à la plage.
   Qui fait du ski nautique? Vous ou eux?

5. After **c'est** or **ce n'est pas.**

   Carole, c'est toi? Oui, c'est moi.
   C'est Jean-Luc? Oui, c'est lui.
   C'est Marie-France? Non, ce n'est pas elle.

Exercice 7   On aime les sports d'été.
Répondez d'après le modèle.

Est-ce que tu aimes nager?
Moi, oui! J'adore nager.

1. Est-ce que tu aimes aller à la plage?
2. Est-ce qu'il aime faire du ski nautique?
3. Est-ce qu'elles aiment faire de la plongée sous-marine?
4. Est-ce que vous aimez nager?

Exercice 8   Une surprise-partie
Complétez.

1. Est-ce que tu vas donner une surprise-partie pour Louise?
   Oui, je vais donner une surprise-partie pour _____ .
2. Qui va préparer la fête? Toi?
   Oui, c'est _____ qui vais préparer la fête.
3. Et qui va faire les courses? Toi ou Pierre?
   Non, pas _____ . C'est _____ qui va faire les courses.
4. Est-ce que Louise va arriver avec ses amis?
   Oui, elle va arriver avec _eux_
5. Est-ce que tu vas donner la fête dans un restaurant ou chez toi?
   Pas dans un restaurant. Je vais donner la fête chez _____ .

Prononciation

Liaison avec *n*

Nasal *n*	Liaison
en France	en avion
un train	un accident
on danse	on achète
mon billet	mon ami
ton vol	ton anorak
son voyage	son appartement

Tape Activities 12–13

Pratique et dictée

On arrive à mon appartement pour une fête.
C'est ton anniversaire?
Paul est son ami, n'est-ce pas?

C'est un athlète formidable!
Nous achetons nos billets en avance.
C'est un avion rapide.

Conversation

Tape Activity 14

Allons à la plage!

Robert	Il fait très chaud. Allons à la plage!
Georges	Bonne idée! Tu as ton maillot?
Robert	Oui.
Georges	Moi, je vais faire de la planche à voile.
Robert	Toi, tu es toujours un casse-cou.
Georges	Écoute! La planche à voile est très facile.
Robert	Pour toi! Pas pour moi! Moi, je vais prendre un bain de soleil.
Georges	Chacun à son goût.

Exercice 1 Choisissez.

1. Les deux copains vont _____ .
   a. à la plage
   b. à la montagne
   c. à la piscine

2. Ils vont à la plage parce qu' _____ .
   a. il y a beaucoup de neige sur les pistes
   b. il n'y a pas de soleil
   c. il fait très chaud

3. Le casse-cou va _____ .
   a. prendre un bain de soleil
   b. remonter la vague
   c. faire de la planche à voile

Exercice 2 Répondez.   Tape Activity 15

1. Quel temps fait-il?
2. Où vont les deux amis?
3. Qu'est-ce qu'ils portent?
4. Qui est un vrai casse-cou?
5. Qu'est-ce qu'il va faire?
6. Et Robert, qu'est-ce qu'il va faire?

177

ℂecture culturelle

Tape Activities 16–17

Le mois d'août au bord de la mer

Au mois d'août beaucoup de Français quittent ° leurs villes pour aller en vacances. Ils partent en voiture, ° en train ou en avion. Ils vont à la montagne ou au bord de la mer. Le mois d'août est le mois des vacances en France.

Beaucoup de gens ° vont sur la Côte d'Azur, sur la mer Méditerranée. Sur toute la côte il y a beaucoup de stations balnéaires. En été il fait très beau et le soleil brille fort dans le ciel bleu. Les plages de la Côte d'Azur sont fantastiques. Il y a toujours beaucoup d'activité.

Les jeunes gens ° font de la planche à voile. Comme ° toujours il y a des experts et des débutants. Quand le vent est fort, la planche glisse ° très vite sur les vagues et les débutants tombent. Mais ce n'est pas grave.

Voici une experte. Est-ce qu'elle nage? Non, elle ne nage pas. Elle fait de la plongée sous-marine? Non plus. Elle fait du ski nautique. Elle skie très bien.

Voici Gilbert. Lui, il n'aime pas les sports. Pas de problème! Chacun à son goût! Il prend des bains de soleil. Comme ° tout le monde, Gilbert rentre ° chez lui très bronzé ° après un mois extra ° au bord de la mer sur la Côte d'Azur.

° **quittent** *leave*   ° **voiture** *car*   ° **les gens** *people*   ° **les jeunes gens** *young people*
° **Comme** *As*   ° **glisse** *glides*   ° **Comme** *Like*   ° **rentre** *returns*   ° **bronzé** *tanned*
° **extra** *super, terrific*

Exercice Corrigez.

1. Les Français n'aiment pas les vacances.
2. Le mois de juin est le mois des vacances en France.
3. Tout le monde part en voiture pour aller en vacances.
4. La Côte d'Azur est sur la côte Atlantique.
5. Sur la côte de la mer Méditerranée il y a beaucoup de stations de sports d'hiver.
6. En été il fait assez froid sur la Côte d'Azur.
7. La planche à voile est un sport d'hiver.
8. Quand il y a un vent assez fort, les experts tombent de la planche.
9. Quand le vent est fort, la planche à voile glisse très vite sur la neige.
10. On porte des bottes et un anorak pour faire du ski nautique.
11. Les gens qui aiment regarder les poissons dans la mer font du ski nautique.

Activités

Tape Activities: *Deuxième Partie*
Workbook Exercises: *Un peu plus*

(Optional)

1 Une interview

- Où habitez-vous?
- Habitez-vous près du bord de la mer?
- Est-ce qu'il y a des stations balnéaires près de votre ville?
- Aimez-vous les sports nautiques?
- Quels sports nautiques aimez-vous?

2 Devinez. Qu'est-ce que je suis?

- J'ai des vagues.
- J'ai du sable.
- Je suis bleu.
- Je glisse sur la mer.

3 Describe what you see in the illustration.

galerie vivante

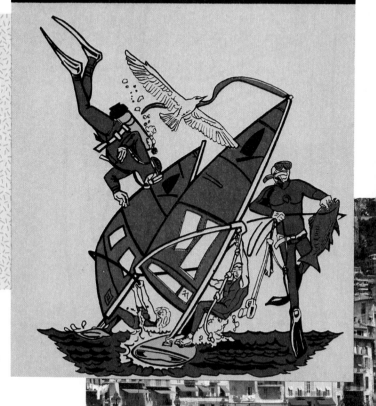

Voici de la publicité pour un magasin à Paris. Où est le magasin? Est-ce qu'on vend l'équipement pour la plongée sous-marine dans le magasin?

Villefranche est une jolie ville de la Côte d'Azur. Est-ce que Nice est sur la Côte d'Azur aussi?

Voici la plage à Cannes. Sur la plage de Cannes, est-ce qu'il y a du sable ou des galets?

Les garçons ne sont pas sur la plage. Ils sont à Lyon. Qu'est-ce qu'ils font?

Révision

À la gare

Alain	Bonjour, Philippe. Qu'est-ce que tu fais ici?
Philippe	J'attends le train pour Marseille.
Alain	Tu vas à Marseille? Moi aussi. Quel train prends-tu?
Philippe	Je prends le train qui part à vingt-trois heures.
Alain	Bon! Moi aussi. Nous prenons le même train. Nous allons passer toute la nuit dans le train.

Exercice 1 Corrigez.

1. Alain et Philippe sont à l'aéroport.
2. Philippe attend le vol pour Marseille.
3. Alain et Philippe partent pour Lyon.
4. Les deux garçons ne prennent pas le même train.
5. Ils vont passer toute la nuit dans l'avion.

Les verbes en *-ir* et *-re*

Review the following present tense forms of regular **-ir** and **-re** verbs.

	-ir	**-re**
Infinitive	finir	attendre
Present tense	je finis	j'attends
	tu finis	tu atends
	il/elle finit	il/elle attend
	nous finissons	nous attendons
	vous finissez	vous attendez
	ils/elles finissent	ils/elles attendent

Exercice 2   Qu'est-ce qu'on choisit?

Roger / un disque de jazz
Roger choisit un disque de jazz.

1. Philippe / des skis
2. Moi / un anorak
3. Alice / des skis nautiques
4. Gilbert et Claude / un petit ordinateur
5. Nous / des vacances
6. Alice et Henriette / des bottes de ski

Exercice 3   À l'aéroport
Répondez.

1. Est-ce que Ginette et Thérèse attendent l'avion?
2. Est-ce que les deux amies choisissent le même vol?
3. Thérèse entend une annonce?
4. Entend-elle l'annonce du départ de leur vol?
5. Est-ce que l'avion atterrit à l'heure exacte?

Les verbes irréguliers

Review the following present tense forms of irregular **-ir** and **-re** verbs.

partir   je pars, tu pars, il/elle part, nous partons, vous partez, ils/elles partent

sortir   je sors, tu sors, il/elle sort, nous sortons, vous sortez, ils/elles sortent

dormir   je dors, tu dors, il/elle dort, nous dormons, vous dormez, ils/elles dorment

servir   je sers, tu sers, il/elle sert, nous servons, vous servez, ils/elles servent

prendre   je prends, tu prends, il/elle prend, nous prenons, vous prenez, ils/elles prennent

Exercice 4 À la gare
Complétez.

En ce moment je suis à la gare de Lyon. J'_____ (attendre) le train pour Marseille. Mon train _____ (partir) à vingt-trois heures quinze. Je vais au guichet. On _____ (vendre) les billets au guichet. J'achète un billet aller et retour.

Ah! Voilà mon amie Thérèse. Qu'est-ce qu'elle fait ici?
— Thérèse! Salut! Qu'est-ce que tu fais ici?
— J'_____ (attendre) le train pour Marseille.
— Incroyable, ça! Moi aussi! Quel train _____-tu? (prendre)
— Je _____ (prendre) le train qui _____ (partir) à vingt-trois heures quinze.
— Formidable! Nous _____ (prendre) le même train.
— De quel quai _____-il? (partir)
— Il _____ (partir) du quai numéro cinq.

Leur train _____ (partir) à l'heure. Comme elles passent toute la nuit dans le train, les deux amies _____ (dormir). À six heures du matin elles _____ (descendre) du train à Marseille.

Les adjectifs *ce, quel, tout*

Review the following forms of the adjectives **ce**, **quel**, and **tout**. Note that **tout** is accompanied by a definite article.

Singular		Plural	
Masculine	**Feminine**	**Masculine**	**Feminine**
quel sport	quelle piste	quels sports	quelles pistes
ce disque	cette valise	ces disques	ces valises
(cet ordinateur)			
tout le magasin	toute la classe	tous les magasins	toutes les classes

Exercice 5 Complétez.

1. _____ les passagers vont passer _____ la nuit dans l'avion. **tout, tout**
2. _____ sports aimes-tu? Moi, j'aime _____ les sports. Je n'ai pas de préférence. **quel, tout**
3. _____ les passagers qui prennent _____ vol vont à Montréal. **tout, ce**
4. _____ valise vas-tu prendre? Je vais prendre _____ valise. **quel, ce**
5. _____ train allons-nous prendre? **quel**
6. _____ les élèves de _____ classe vont prendre le train qui part de _____ quai. **tout, ce, ce**

A complete unit Self-Test, self-correcting, appears in the Workbook.

Les pronoms accentués

Review the following forms of the stress pronouns. Compare them once again to the subject pronouns.

Stress	Subject
moi	je
toi	tu
lui	il
elle	elle
nous	nous
vous	vous
eux	ils
elles	elles

Exercice 6 Des vacances d'hiver
Répondez avec le pronom.

C'est **Robert** qui va aller à Montréal?
Oui, c'est lui qui va aller à Montréal.

1. C'est **Paul** qui va faire le voyage?
2. Il va avec **Ginette?**
3. Et **toi,** tu vas aller avec **Paul et Ginette?**
4. **Ginette, Paul et toi,** vous allez prendre le même vol?
5. Qui va descendre les pistes difficiles? **Toi?**
6. Et **Paul,** va-t-il descendre les pistes pour les débutants?

Two unit tests, one written and one oral, are
provided in the accompanying Test Package.

qecture culturelle

supplémentaire

For suggestions concerning the optional readings, see page 22 of the front matter of the Teacher's Edition.

une maison en pierre

un immeuble en briques

un chalet en bois

La région des Alpes

Le ski est un sport très populaire en France. Les Français vont souvent faire du ski dans la région des Alpes. Dans cette région il y a des stations de sports d'hiver célèbres comme Megève et Chamonix.

Beaucoup de Français apprennent à faire du ski dans la région des Alpes. Même° les écoles en France ont des classes de neige. En hiver un groupe d'élèves va dans une station de sports d'hiver. Le matin il y a des classes. L'après-midi on apprend à faire du ski.

°**Même** *Even*

186

René Martin est un élève à Tours. En ce moment il est avec sa classe dans la région des Alpes. Il y a quelque chose* qui surprend* René. Il remarque* qu'il y a beaucoup de chalets en bois dans la région des Alpes. C'est assez rare en France. La plupart des* maisons en France sont en briques ou en pierre, mais dans la région des Alpes il y a aussi des maisons en bois.

Exercice 1 Vrai ou faux?

1. On ne skie pas en France.
2. Les Alpes sont des montagnes.
3. Megève et Chamonix sont des stations balnéaires.
4. Beaucoup d'élèves aux États-Unis ont des classes de neige.
5. Tours est une ville dans la région des Alpes.
6. Beaucoup de maisons en France sont en bois.

Exercice 2 Personnellement

1. Est-ce que vous avez des classes de neige dans votre école?
2. Vous trouvez que c'est une bonne idée d'avoir des classes de neige?
3. Est-ce qu'il y a beaucoup de maisons en bois près de chez vous?
4. Est-ce qu'il y a beaucoup de maisons en bois en France?

ℒecture culturelle

supplémentaire

des fleurs (*f*)

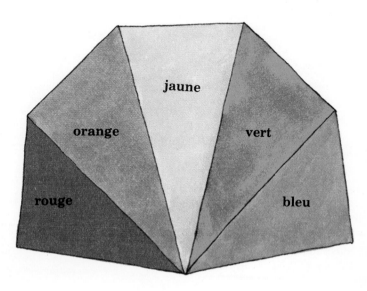

***quelque chose** *something*   ***surprend** *surprises*
***remarque** *notices*   ***La plupart des** *Most*

La Provence

La Provence, située dans le sud-est de la France, est une région ravissante.° Tout le long de la côte de la mer Méditerranée il y a des plages magnifiques. C'est la Côte d'Azur. Beaucoup de Français choisissent les plages de la Côte d'Azur pour leurs vacances d'été. Après un mois extra dans le soleil de Nice, Cannes ou Saint-Tropez, ils rentrent° chez eux bien bronzés.

La Provence est aussi une région de couleurs—le bleu du ciel et de la mer, le rouge des rochers et les mille couleurs des fleurs. Grasse, une petite ville près de la Côte d'Azur, est renommée° pour ses fleurs. Les fleurs sont bien sûr jolies mais elles sont aussi importantes. On utilise les fleurs pour faire les célèbres parfums français.

La région de Provence est riche en histoire. Beaucoup de touristes font des excursions à Arles, une ancienne ville romaine. À Arles ils visitent les arènes, un amphithéâtre romain de l'époque° de l'empereur Adrien (IIᵉ siècle). Les arènes servent encore° aujourd'hui. Dans les arènes on donne des spectacles, surtout° des courses de taureaux.°

°**ravissante** *lovely*	°**rentrent** *return*		
°**renommée** *famous*	°**époque** *time*		
°**encore** *still*	°**surtout** *especially*	°**courses de taureaux** *bullfights*	

188

Exercice   Choisissez la réponse.

1. Où est la Provence?
   a. Elle est au nord de Paris.
   b. Elle est dans le sud-est de la France.
   c. Elle est dans la mer des Caraïbes.

2. Qu'est-ce qu'il y a le long de la côte de Provence?
   a. Il y a des plages magnifiques.
   b. Il y a des parfums.
   c. Il y a des stations de sports d'hiver.

3. Est-ce que beaucoup de Français choisissent les plages de la Côte d'Azur pour leurs vacances d'été?
   a. Oui, ils nagent dans la mer des Caraïbes.
   b. Oui, ils nagent dans l'océan Atlantique.
   c. Oui, ils nagent dans la mer Méditerranée.

4. Où sont les villes de Nice, Cannes et Saint-Tropez?
   a. Elles sont dans le soleil.
   b. Elles sont sur la Côte d'Azur.
   c. Elles sont dans le nord-est de la France.

5. Est-ce que Grasse est une ville renommée?
   a. Oui, elle est renommée pour ses rochers.
   b. Oui, elle est renommée pour ses fleurs.
   c. Oui, elle est renommée pour le gris de son ciel.

6. Quelle est une industrie importante de Grasse?
   a. Les fleuristes.
   b. La parfumerie.
   c. La fabrication des lotions solaires.

7. Est-ce que les arènes sont anciennes?
   a. Oui, elles datent de l'époque des Romains.
   b. Oui, elles sont très modernes.
   c. Non, elles ne servent pas aujourd'hui.

8. Où donne-t-on des courses de taureaux?
   a. Seulement en Espagne.
   b. Dans les arènes d'Arles.
   c. Dans les usines de parfums à Grasse.

VERBS

Regular Verbs

	parler	**finir**	**vendre**
	to speak	*to finish*	*to sell*
Imperative	parle	finis	vends
	parlons	finissons	vendons
	parlez	finissez	vendez
Present	je parle	je finis	je vends
	tu parles	tu finis	tu vends
	il parle	il finit	il vend
	nous parlons	nous finissons	nous vendons
	vous parlez	vous finissez	vous vendez
	ils parlent	ils finissent	ils vendent

Verbs with Spelling Changes

acheter	**appeler**	**commencer**
to buy	*to call*	*to begin*
j'achète	j'appelle	je commence
tu achètes	tu appelles	tu commences
il achète	il appelle	il commence
nous achetons	nous appelons	nous commençons
vous achetez	vous appelez	vous commencez
ils achètent	ils appellent	ils commencent

envoyer[1]	**jeter**	**manger**
to send	*to throw*	*to eat*
j'envoie	je jette	je mange
tu envoies	tu jettes	tu manges
il envoie	il jette	il mange
nous envoyons	nous jetons	nous mangeons
vous envoyez	vous jetez	vous mangez
ils envoient	ils jettent	ils mangent

préférer
to prefer
je préfère
tu préfères
il préfère
nous préférons
vous préférez
ils préfèrent

---

[1] *Employer* and *payer* are conjugated similarly.

Irregular Verbs

aller
to go
je vais
tu vas
il va
nous allons
vous allez
ils vont

avoir
to have
j'ai
tu as
il a
nous avons
vous avez
ils ont

dormir
to sleep
je dors
tu dors
il dort
nous dormons
vous dormez
ils dorment

être
to be
je suis
tu es
il est
nous sommes
vous êtes
ils sont

faire
to do, to make
je fais
tu fais
il fait
nous faisons
vous faites
ils font

partir
to leave
je pars
tu pars
il part
nous partons
vous partez
ils partent

prendre[2]
to take
je prends
tu prends
il prend
nous prenons
vous prenez
ils prennent

servir
to serve
je sers
tu sers
il sert
nous servons
vous servez
ils servent

sortir
to go out
je sors
tu sors
il sort
nous sortons
vous sortez
ils sortent

[2] *Comprendre* and *apprendre* are conjugated similarly.

French-English Vocabulary

The French-English vocabulary contains all the words and expressions that appear in this text. Words and expressions that were presented in the *Vocabulaire* or *Expressions utiles* sections are followed by the number of the lesson in which they were presented. Words and expressions presented in the preliminary lessons are followed by the letter of the preliminary lesson. Words and expressions that are not followed by a number or a letter appear in readings, optional readings, or activities where they were glossed, or are obvious cognates.

A

à in, to *C*; at, on *G*
  à bord on board
  à bientot see you soon *C*
  à destination de bound for
  à l'avance in advance
  à pied on foot *6*
  à point medium (steak) *6*
  à tout à l'heure see you in a while *C*
l'accent (*m*) accent
  accentué, -e stressed, accented
    le pronom accentué (*m*) stress pronoun
  accepté, -e accepted
l'accident (*m*) accident
l'accord (*m*) agreement
  acheter to buy *8*
l'activité (*f*) activity *A*
l'addition (*f*) check (restaurant) *6*
l'adjectif (*m*) adjective
  adorable adorable
  adorer to adore, to love *5*
  aérien, -ne aerial *9*
    la ligne aérienne (*f*) airline *9*
  aérobic aerobic
l'aéroport (*m*) airport *9*
affectueusement affectionately
  africain, -e African
l'Afrique Africa
l'âge (*m*) age *7*
  agréable nice, pleasant
  aider to help *9*
  aigu, -ë acute
  aimer to like, to love *5*
  à l'heure on time

aller to go *6*
  tout va bien all is well
  ça va I'm fine
  ça va? how are you? *B*
l'aller (*m*) one-way ticket *11*
  aller et retour (*m*) round-trip ticket *11*
  alors then, so *3*
l'alphabet (*m*) alphabet
  américain, -e American *1*
l'ami, -e boy friend, girl friend *2*
l'amphithéâtre (*m*) amphitheater
l'an (*m*) year *7*
  ancien, -ne ancient
  anglais (*m*) English
    faire de l'anglais to study English *8*
l'année (*f*) year
l'anniversaire (*m*) birthday *5*
l'annonce (*f*) announcement
l'anorak (*m*) ski jacket *10*
l'appartement (*m*) apartment *7*
  apprendre to learn *12*
    apprendre à to learn how *12*
  après after *G*
  après-demain the day after tomorrow
l'après-midi (*m*) afternoon *G*
  de l'après-midi in the afternoon *G*
les arènes (*f*) ancient Roman amphitheater
l'argent (*m*) money *8*
l'arrivée (*f*) arrival
  arriver to arrive *5*
l'arrondissement (*m*) section of Paris

l'art (*m*) art
l'article (*m*) article
  l'article défini definite article
  l'article indéfini indefinite article
  assez enough *4*
l'atelier (*m*) studio *7*
  Atlantique Atlantic
  attendre to wait for *10*
  attention! careful!
    faire attention (à) to watch out for *8*
  atterrir to land *9*
  au (à + le) *6*
    au contraire on the contrary *3*
    au moins at least
    au revoir good-bye *C*
  aujourd'hui today *F*
  aussi also *2*
  autre other
  aux (à + les) *6*
  avance advance
    à l'avance in advance
  avant before
  avec with *6*
l'avion (*m*) airplane *9*
  en avion by airplane
  avoir to have *7*

B

les bagages (*m*) baggage *9*
la baguette loaf of French bread *8*
le bain bath *12*
  le bain de soleil sunbathing *12*
  le bain de mer swimming in the ocean *12*
  balnéaire of, pertaining to bathing *12*

192

la station balnéaire
seaside resort *12*
la banlieue suburb *18*
la banque bank
le bâton ski pole *10*
beau, bel, belle, beaux
handsome, pretty *13*
Il fait beau it is nice
(weather) *5*
beaucoup a lot, many,
much *5*
bien very *8;* well *B*
bien affectueusement
very affectionately
bien cuit well-done
(steak) *6*
bien sûr of course
bientôt soon
à bientôt see you soon
C
bienvenu, -e welcome
le billet ticket *9*
le billet aller et retour
(*m*) round-trip ticket
11
la biologie biology
blague joke
sans blague no kidding
4
blesser to wound
bleu, -e blue
blond, -e blond *1*
le bois woods, forest
la boîte box; can (foods) *8*
bonjour hello
bonsoir good evening
bon voyage! have a good
trip! *9*
le bord side *12*
à bord on board
au bord de la mer at
the seashore *12*
la botte boot
la botte de ski ski boot
10
le boucher, la bouchère
butcher *8*
la boucherie butcher shop
8
le boulanger, la boulangère
baker *8*
la boulangerie bakery *8*
la boule ball *10*
la boule de neige
snowball *10*
le bout end
la bouteille bottle

brillant, -e sparkling
briller to shine *5*
la brioche type of bun
la brique brick
brun, -e dark-haired *1*

C

ça that *2*
ça fait combien? how
much does that cost?
ça va I'm fine
ça va? how are you? *B*
où ça? where's that?
le café coffee
le café au lait coffee
with milk
le Canada Canada
canadien, -ne Canadian
9
la carotte carrot
la carte card *9*
**la carte
d'embarquement**
boarding pass *9*
le casse-cou daredevil
ce, cet, cette, ces this,
that, these, those *11*
ce... -ci this *11*
ce... -là that *11*
ce soir tonight
célèbre famous
c'est it is, that is *D*
c'est ça that's right *2*
c'est chouette that's
neat *2*
c'est dommage that's
too bad *5*
c'est l'essentiel that's
the important thing *2*
chacun each one
chacun à son goût to
each his own
la chaîne channel
(television)
le chalet chalet, mountain
cabin
la chance luck
bonne chance! good
luck!
changer (de) to change
la chanson song *5*
chanter to sing *5*
chaque each
charmant, -e charming,
cute

le chat cat *7*
chaud, -e warm *13*
il fait chaud it is warm
(weather)
cher, chère expensive;
dear *8*
moins cher less
expensive
chez at the house of *8*
le chien dog *7*
choisir to choose *9*
chouette neat, cool *2*
c'est chouette that's
neat *2*
le ciel sky *5*
le cinéma movie theater
circonflexe circumflex
(accent)
clair, -e clear, light
la classe class *4*
deuxième classe
second class *11*
le coca cola
le collège junior high school
combien (de) how many,
how much *7*
**à combien est
(sont)** what is the
price of
comble full
commander to ask for,
to order *6*
comme like, as
**comme ci comme
ça** so-so *6*
comment how *3*
le compartiment
compartment (in a train)
11
complet, -ète complete
complètement completely
compléter to complete
comprendre to
understand *12*
compris, -e included
le comptoir counter *9*
le concert concert
la condition condition
les conserves (*f*) **en boîtes**
canned foods *8*
considérer to consider
content, -e happy,
pleased, content *2*
le contraire contrary
au contraire on the
contrary *3*
contre against

le contrôle de sécurité
security checkpoint *9*
**le contrôleur, la
contrôleuse** conductor
on a train *11*
convenable suitable
la conversation
conversation
converser to converse
le copain friend, chum *3*
la copine friend, chum *3*
corriger to correct
la côte coast
la couchette sleeping
compartment on a train
11
courant, -e current,
present
au courant de up to
date with
les courses (*f*) shopping *8*
faire des courses to go
shopping
faire les courses to do
the daily food shopping
8
le cousin, la cousine cousin
coûter to cost
couvert, -e covered
la crémerie dairy shop *8*
le crémier, la crémière
dairy merchant *8*
crier to shout
le croissant type of pastry
culturel, -le cultural

D

d'abord to begin with
d'accord all right *2*
d'ac OK *2*

dangereux, -euse
dangerous *23*
dans in *1*
danser to dance *5*
d'après according to
la date date *F*
quelle est la date?
what is the date? *F*
dater de to date from
de of *2*; from *4*
de bonne heure early
de nouveau again
de plus more *4*
le débutant, la débutante
beginner *10*

décrire to describe
défini, -e definite
l'article défini (*m*)
definite article
le degré degree *10*
le déjeuner lunch
le petit déjeuner
breakfast
demain tomorrow
après-demain day
after tomorrow
demander to ask; to ask
for *6*
demi, -e half *G*
le départ departure
le département department
des (de + les) *7*
descendre to descend,
to go down *10*
la descente descent
désirer to want *5*
le dessert dessert
la destination destination
détester to detest *5*
deuxième second *7*
deuxième classe
second class *11*
**le deuxième
étage** third floor *7*
deuxièmement
secondly
deviner to guess
le dialogue dialogue
la dictée dictation
différent, -e different
difficile difficult *4*
dîner to dine *6*
le dîner dinner *11*
dis donc look here! *2*
direct, -e direct
le disque record (album) *5*
dommage; c'est dommage
that's too bad *5*
donc therefore
dis donc look here! *2*
donner to give *5*
dormir to sleep *11*
d'où? from where
le doute doubt
du (de + le) of the, from
the

E

l'eau (*f*) water *8*
eau minérale mineral
water *8*

l'école (*f*) school *1*
économique economical
écouter to listen to *5*
l'écureuil (*m*) squirrel
l'élève (*m, f*) student *1*
elle (*subj. pronoun*) she
1; (*stress pronoun*) her
12
elles (*subj. pronoun*) they
3; (*stress pronoun*) them
12
embarquement (*m*)
boarding
carte (*f*)
d'embarquement
boarding pass *9*
l'employé, -e (*m, f*)
employee *9*
en in, by *4*
en avion by plane *11*
en panne broken down
en vacances on
vacation
en ville downtown *6*
en voiture! all aboard!
encore still, yet
l'enfant (*m, f*) child *7*
enregistrer to register
faire enregistrer to
check (baggage) *9*
ensuite afterward, then
entendre to hear *10*
enthousiaste fan,
enthusiast *3*
entre between
entrer to enter
l'époque (*f*) era
l'équipement (*m*)
equipment
espagnol, -e Spanish
**essentiel; c'est
l'essentiel** that's the
important thing *2*
l'est (*m*) East *E*
est-ce is it *E*
est-ce que (qu') (indicates
a question) *2*
et and *B*
et toi? and you? *B*
l'étage (*m*) story, floor (of a
building) *7*
l'état (*m*) state
les Etats-Unis (*m*)
United States
l'été (*m*) summer *5*
être to be *2*
européen, -ne European

eux them *12*
exact, -e exact
excellent, -e excellent
l'excursion (*f*) excursion
l'exercice (*m*) exercise
l'expérience (*f*) experience
l'expert (*m*) expert
expliquer to explain
l'expression (*f*) expression
exquis, -e exquisite
l'extérieur (*m*) exterior
  à l'extérieur outside
extra super

F

la fabrication manufacture
facile easy *4*
faible weak *3*
faire to do, to make *8*
  faire attention to pay
  attention *8*
  faire de la guitare to
  play the guitar *8*
  faire de l'anglais to
  study English *8*
  **faire de la
  photographie** to go
  in for photography *8*
  **faire de la planche à
  voile** to windsurf *12*
  **faire de la plongée
  sous-marine** to scuba
  dive, to go snorkeling
  12
  faire du français to
  study French *8*
  faire du piano to play
  the piano *8*
  faire du ski to go
  skiing *10*
  faire du ski nautique
  to water-ski *12*
  faire du sport to go in
  for sports *8*
  faire du volley to play
  volleyball
  faire enregistrer to
  check (baggage) *9*
  faire des courses to go
  shopping *8*
  faire un voyage to
  take a trip *8*
  il fait... (used with
  weather expressions)
  5
la famille family *7*

fantastique fantastic *2*
fatigué, -e tired
faux, fausse false
féminin, -e feminine
fermé, -e closed
la fête party; saint's day *5*
la fille daughter *7;* girl *1*
le film movie
le fils son *7*
fini, -e finished
finir to finish *9*
la fleur flower
former to form
formidable terrific, great
  5
fort, -e strong *3*
la fraise strawberry *8*
le franc unit of French
  currency
le français French *4*
  faire du français to
  study French *8*
  Français, -e French
  person
  français, -e French *1*
le frère brother *3*
froid, -e cold *10*
  il fait froid the weather
  is cold *10*
la frontière border
le fruit fruit *8*

G

le garçon boy *D;* waiter
  6
la gare train station *11*
généralement generally
les gens (*m*) people
  glisser to slide
  grand, -e tall, big, wide
  1
la grand-mère grandmother
le grand-père grandfather
les grands-parents (*m*)
  grandparents
  grave serious
  gris, -e gray
le guichet ticket window
  10
le guide guidebook
  le guide téléphonique
  telephone book
la guitare guitar *8*
  faire de la guitare to
  play the guitar *8*

H

habiter to live *5*
le haricot bean *8*
  les haricots verts
  green beans *8*
hélas! alas!
l'heure (*f*) hour *G*
  à l'heure per hour
  à quelle heure? at
  what time? *G*
  à tout à l'heure see
  you in a while *C*
  quelle heure est-il?
  what time is it? *G*
l'histoire (*f*) history; story
l'hiver (*m*) winter *10*
l'honneur (*m*) honor
  en l'honneur de in
  honor of
l'horaire (*m*) timetable
  11
  huit eight *E*
hygiénique sanitary
  le papier hygiénique
  toilet paper *8*

I

ici here
l'idée (*f*) idea
il (*subj. pronoun*) he, it
  1
  il est... heures it is . . .
  o'clock *G*
  il fait it is (with
  weather expressions)
  5
l'île (*f*) island *5*
l'illustration (*f*)
  illustration
ils (*subj. pronoun*) they *3*
il y a there is, there are
  7
immédiat, -e immediate
l'immeuble (*m*) apartment
  house *7*
impatient, -e impatient
l'impératif (*m*) command
  form of a verb
important, -e important
l'impression (*f*) impression
incroyable! unbelievable!
  4
  incroyable mais vrai
  unbelievable but true!
  4

indéfini, -e indefinite
l'article indéfini
indefinite article
l'indicateur (*m*) arrivals/
departures board *9*
l'industrie (*f*) industry
l'infinitif (*m*) infinitive
l'influence (*f*) influence
intelligent, -e intelligent
1
intéressant, -e
interesting *2*
l'interrogation (*f*)
questioning
l'interview (*f*) interview
l'inversion (*f*) inversion
l'invitation (*f*) invitation
l'Italie (*f*) Italy
italien, -ne Italian

J

ne... jamais never *16*
jaune yellow *14*
le jazz jazz *5*
je (*subj. pronoun*) I *2*
le jour day
jusqu'à up to, until

K

le kilo kilo *8*

L

l' (*def. article*) (*m, f*) the *1*
la (*def. article*) the *1*
là there
là-bas over there (in
the distance) *D*
laisser to leave *6*
le lait milk *8*
le latin Latin
le (*def. article*) the *1*
la lecture reading
le légume vegetable *8*
**marchand(e) de
légumes** greengrocer
les (*def. article*) the *3*
la lettre letter (alphabet)
leur, leurs their *9*
lieu; avoir lieu to take
place
la ligne line *9*
la ligne aérienne
airline *9*
la limonade lemon soda

la livre pound *8*
le livre book
le long de along
long, -ue long *16*
la longueur length
la lotion lotion *12*
la lotion solaire
suntan lotion *12*
le lycée secondary school *1*

M

ma (*f*) my *9*
madame Mrs. *A*
mademoiselle Miss *A*
le magasin store *8*
le magazine magazine
magnifique magnificent
2
le maillot bathing suit *12*
maintenant now
mais but *4*
mais non no! *3*
mais si yes! *4*
la maison house
mal badly *B*
pas mal not bad
malheureusement
unfortunately
le marchand, la marchande
merchant *8*
**marchand(e) de
légumes** greengrocer
le marché market *8*
martiniquais, -e of or
from Martinique
masculin, -e masculine
les mathématiques (*f*)
mathematics
les maths (*f*) math
le matin (*m*) morning *G*
du matin A.M., in the
morning *G*
mauvais bad
mélancolique sad
même same
le menu menu *6*
la mer sea *5*
le bain de mer a swim
in the ocean *12*
au bord de la mer at
the seashore *12*
merci thank you *D*
la mère mother *7*
merveilleux, -euse
marvelous *5*
mes (*pl*) my *9*

le mètre meter
midi noon *G*
le Midi the south of
France
mille thousand
minéral, -e, -aux mineral
8
l'eau minérale (*f*)
mineral water *8*
minuit midnight *G*
le modèle model
moderne modern
moi me *12*
moi aussi me too
moins (with time) . . .
minutes to . . . *G*
moins less, minus *10*
au moins at least
**il fait moins deux
degrés** it is two
degrees below zero *10*
le mois month
le moment moment
en ce moment at this
time
mon, ma, mes my *9*
le monde world
tout le monde
everyone *2*
**le moniteur, la
monitrice** ski
instructor *10*
monsieur (*m*) Mr. *A*
le mont (*m*) mount,
mountain *10*
la montagne mountain *10*
monter to climb, to go up
10
la montre watch
montrer to show *9*
muet, -te silent
la musique music

N

nager to swim *12*
la nation nation
nautique nautical *12*
le ski nautique water
skiing *12*
ne (n') not *2*
ne... pas not *2*
la négation negative
la neige snow *10*
la boule de neige
snowball *10*
neiger to snow *10*

n'est-ce pas isn't that so? *2*
le nombre number *E*
nombreux, -euse numerous
nommer to name
non no *2*
  non plus no more, no longer
le nord north
nos our *9*
notre, nos our *9*
nous (*subject*) we *4* (*object*) us *24*
la Nouvelle Écosse Nova Scotia
la nuit night
le numéro number *11*

O

l'océan (*m*) ocean
l'œuf (*m*) egg
oh là là dear me *2*
l'omelette (*f*) omelette
on (*indefinite pronoun*) they, people, we, you, one *9*
orange orange (color) *14*
l'ordinateur (*m*) computer *9*
organisé, -e organized
ou or
où where
  où ça? where's that?
oui yes *B*
ouvert, -e open

P

le pain bread *8*
la panne breakdown
  en panne out of order
le papier paper
  le papier hygiénique toilet paper *8*
par by *9*
  par contre on the contrary
  par exemple for example
le parachute parachute
le parapluie umbrella *16*
le parc park *10*
pardon! excuse me!
le parent parent

parfait, -e perfect
le parfum perfume
parler to speak *5*
le partitif partitive
partir to leave *11*
  partir à to leave for (a place) *11*
  partir de to leave (from) (a place) *11*
  partir pour to set out, leave for (a place) *11*
partout everywhere
pas not
  pas de problème! no problem!
  pas du tout not at all *3*
  pas mal not bad *B*
le passager, la passagère passenger *9*
le passeport passport *9*
passer to spend *9*
patiner to ice skate *10*
la patinoire skating rink *10*
la pâtisserie pastry shop; pastry *8*
le pâtissier, la pâtissière pastry chef *8*
pauvre poor
pendant during *5*
perdre to lose *10*
le père father *7*
perfectionner to improve
la personne person
personnel, -le personal
petit, -e small *1*
le petit déjeuner breakfast
un peu little
  un peu plus a little more
la phrase sentence
la photographie photography
  faire de la photographie to take photographs *8*
le piano piano *8*
  faire du piano to play the piano *8*
la pièce room *7*
le pied foot *19*
  à pied on foot *6*
la pierre rock
la piscine pool *12*
la piste ski slope *10*

pittoresque picturesque
la pizza pizza
la place place *9*
la plage beach *12*
la planche à voile sailboard *12*
  faire de la planche à voile to go windsurfing *12*
la plongée diving
  la plongée sous-marine scuba, snorkeling *12*
  faire de la plongée sous-marine to snorkel *12*
plonger to dive *12*
la plupart most
le pluriel plural
plus more *13*
  de plus more *4*
plusieurs many
le poisson fish *8*
la poissonnerie fish store *8*
le poissonnier, la poissonnière fish merchant *8*
la pomme apple *18*
  pommes frites french fries *6*
populaire popular *2*
la porte gate *9*
porter to wear *12*
le porteur porter *9*
poser to ask
la position position
le poulet chicken
pour for *3*
  partir pour to set out for *11*
le pourboire tip *6*
pourquoi? why? *4*
  pourquoi pas? why not? *4*
pousser to push
pratiquer to practice
la préférence preference
préliminaire preliminary
le premier first (dates) *F*
premièrement in the first place
prendre to take *12*
  prendre un bain de soleil to sunbathe *12*
préparer to prepare *5*
près de near
le présent present

presque almost
Prince Édouard (l'île du) Prince Edward Island
le problème problem
prochain, -e next
le prof teacher
le professeur teacher
le pronom pronoun
prononcer to pronounce
la prononciation pronunciation
la province province
la publicité publicity, commercial
pur, -e pure

Q

le quai platform *11*
la qualité quality
quand when *14*
  quand même anyway, still
le quart quarter *G*
le quartier neighborhood
quel, quelle, quels, quelles what, which *10*
  Quelle est la date? What is the date? *F*
  Quelle heure est-il? What time is it? *G*
  Quel temps fait-il? What is the weather like? *5*
quelque chose something
qu'est-ce que what *5*
qu'est-ce que c'est? what is it
la question question
la queue line
  faire la queue to stand in line *11*
qui who
  qui ça? who's that? *D*
  qui est-ce? who is it? *D*
quitter to leave
quoi what

R

la radio radio
la raison reason
rapide rapid
ravissant, -e lovely
regarder to look at *5*

la région region
régulier, -ière regular
la religion religion
remarquer to remark
remonter to go up again
rempli, -e full
renommé, -e renowned
rentrer to return
répondre to reply, to answer *10*
  répondre à to answer *10*
la réponse response
réserver to reserve *5*
le restaurant restaurant *6*
le rez-de-chaussée ground floor *7*
la rive bank (of a river)
le rocher rock, boulder *12*
rouge red *14*
rouler to roll
RSVP (Répondez, s'il vous plaît) please respond
la rue street

S

sa his, her, its *9*
le sable sand *12*
saignant, -e rare *6*
la salade salad *5*
la salle room
  salle à manger dining room
  salle d'attente waiting room *11*
  salle de séjour living room
salut hi *A*
le sandwich sandwich *5*
sans without
  sans blague! no kidding! *4*
  sans doute without a doubt
la santé health *6*
le savon (*m*) soap *8*
la science science
  secondaire secondary
le séjour living room
la semaine week
  septième seventh
le service service
servir to serve *11*
ses (*possessive pronoun*) his, her, its *9*

seul, -e alone *6*
  tout seul all alone *6*
seulement only
si if *18*
s'il vous plaît please
sincère sincere *2*
le singulier singular
situé, -e situated
le ski skiing *10*
  faire du ski nautique to water-ski *12*
  skier to ski
le skieur, la skieuse skier *10*
la sœur sister *3*
le soir evening *6*
  ce soir tonight
  du soir in the evening, P.M. *G*
solaire solar *12*
  la lotion solaire suntan lotion *12*
le soleil sun *5*
  le bain de soleil sunbath *12*
le sommet summit *10*
le son sound
  son, sa, ses (*poss. pronouns*) his, her, its *9*
sortir to leave, to go out *11*
  sortir de to go out of *11*
la soupe soup
souvent often
spécial, -e special
spécialisé, -e specialized
spectacle show
le sport sport *3*
  faire du sport to go in for sports *8*
sportif, -ve athletic *3*
la station station *10*
  la station balnéaire seaside resort *12*
  la station de ski ski resort *10*
  la station de sports d'hiver winter resort *10*
le steak steak *6*
la structure structure
stupide stupid
le sud south
suivre to follow
le supermarché supermarket *8*

supersonique supersonic
sur on
surprendre to surprise
la surprise-partie informal party 5
surtout especially
sympa nice 2
sympathique nice 2
le système system

T

ta your 9
la table table 18
la télé TV 5
le téléphone telephone 5
téléphoner to telephone 5
téléphonique pertaining to the telephone
le guide téléphonique telephone book
le télésiège chair lift 10
le temps weather 5
quel temps fait-il? what's the weather like? 5
tes your 9
le théâtre theater
le ticket ticket 10
toi (*stress pronoun*) you 12
et toi? and you? B
tomber to fall down
ton, ta, tes your 9
toujours always
le tourisme tourism
le, la touriste tourist
tout, toute, tous, toutes all, every, each 10
à tout à l'heure see you soon 6

tout de suite right away
tout le monde everyone 2
tous les deux both
tous les matins every morning
tout seul all alone; solo 6
le train train 11
très very 4
triste sad 2
tropical, -e, -aux tropical 5
trouver to find
tu you

U

un, une one 1
les uns... les autres some . . . others 12
l'usine (*f*) factory
utile useful
utiliser to use

V

les vacances (*f*) vacation
en vacances on vacation
la vague wave 12
la valise suitcase 9
le vendeur, la vendeuse merchant 8
vendre to sell 10
le vent wind 10
il fait du vent it is windy 10
le verbe verb
vert, -e green 14

les haricots verts (*m*) green beans 8
la viande meat 8
la vie life
c'est la vie that's life
la ville city 6
la visite visit
visiter to visit (a place)
vite hurry 10
le vocabulaire vocabulary
voici here is 10
la voie track 11
voilà there is A
le vol flight 9
le volley volleyball
vos your 9
votre, vos your 9
vouloir to want, to want to 15
Je voudrais... I would like . . .
vous you 4
le voyage trip 8
faire un voyage to take a trip 8
voyager to travel
vrai, -e true 4
c'est vrai that's true 2
vraiment truly
la vue view

W

le wagon car (in a train) 11
le wagon-restaurant dining car (on a train) 11

Y

Y there

199

English-French Vocabulary

The English-French vocabulary contains only active vocabulary.

A

a, an un, une *1*
a lot, many, much beaucoup *5*
accessory l'accessoire (*m*) *1*
activity l'activité (*f*) *A*
to adore, to love adorer *5*
after après *G*
afternoon l'après-midi (*m*) *G*
  in the afternoon de l'après-midi *G*
age l'âge (*m*) *7*
airline la ligne aérienne *9*
airplane l'avion (*m*) *9*
  by plane en avion *11*
airport l'aéroport (*m*) *9*
all tout, toute, tous, toutes *10*
all right d'accord *2*
alone: all alone tout seul *6*
also aussi *2*
American américain, -e *1*
and et *B*
  and you et toi *B*
to answer répondre (à) *10*
apartment l'appartement (*m*) *7*
apartment house l'immeuble (*m*) *7*
arrivals/departures board l'indicateur (*m*) *9*
to arrive arriver *5*
to ask; to ask for demander (à) *6*
at à *G*
athletic sportif, -ve *3*
attention: to pay attention faire attention *8*

B

badly mal *B*
  not bad pas mal *B*
  that's too bad c'est dommage *5*
baggage le bagage *9*

baker boulanger, -ère (*m, f*) *8*
  bakery la boulangerie *8*
ball la boule *10*
bath le bain *12*
pertaining to bathing balnéaire *12*
bathing suit le maillot *12*
beach la plage *12*
bean le haricot *8*
  green beans les haricots verts (*m*) *8*
to be être *2*
before, to (minutes) moins *G*
below: it is two degrees below zero il fait moins deux degrés *10*
big grand, -e *1*
birthday l'anniversaire (*m*) *5*
blond blond, -e *1*
bottle la bouteille *8*
boulder le rocher *12*
box la boîte *8*
boy le garçon *D*
bread le pain *8*
brother le frère *3*
building l'immeuble (*m*) *7*
but mais *4*
  no! mais non *3*
  yes! mais si *4*
butcher boucher, -ère (*m, f*) *8*
  butcher shop la boucherie *8*
to buy acheter *8*
by en, par *9*
  by train en train *11*
  by plane en avion *11*

C

cake, pastry le gâteau *8*
can (food) la boîte *8*
Canadian canadien, -ne *9*
car (in a train) le wagon *11*
  dining car (on a train) le wagon-restaurant *11*
card la carte *9*
cat le chat *7*
chair-lift le télésiège *10*

check (restaurant) l'addition (*f*) *6*
checkpoint le contrôle *9*
  security checkpoint le contrôle de sécurité *9*
to check (baggage) faire enregistrer *9*
child l'enfant (*m, f*) *7*
choose choisir *9*
city la ville *6*
class la classe *4*
  second class deuxième classe *11*
to climb monter *10*
cold froid, -e
  it's cold weather il fait froid *10*
compartment (in a train) le compartiment *11*
computer l'ordinateur (*m*) *9*
conductor (on a train) contrôleur, -euse (*m, f*) *11*
content (pleased) content, -e *2*
counter le comptoir *9*

D

dairy: dairy shop la crémerie *8*
  dairy person crémier, -ère (*m, f*) *8*
damage le dommage *5*
to dance danser *5*
  dark-haired brun, -e *1*
date date (*f*) *F*
  what is the date? quelle est la date? *F*
daughter la fille *7*
dear me! oh là là! *2*
degree le degré *10*
department store le grand magasin *8*
to descend descendre *10*
to detest détester *5*
difficult difficile *4*
to dine dîner *5*
  dinner le dîner *11*
to do, to make faire *8*
dog le chien *7*
during pendant *5*

E

East l'est (*m*) *E*
easy facile *4*
employee employé, -e (*m, f*) *9*
English l'anglais (*m*) *8*
  to study English faire de l'anglais *8*
enough assez *4*
evening le soir *G*
  in the evening (P.M.) du soir *G*
everyone tout le monde *2*
expensive cher, chère *8*

F

family la famille *7*
fan (enthusiast) enthousiaste (*m, f*) *3*
father le père *7*
fine: I'm fine ça va *B*
to finish finir *9*
first (dates) le premier *F*
fish le poisson *8*
  fish merchant poissonnier, -ère (*m, f*) *8*
  fish store la poissonnerie *8*
flight le vol *9*
floor (of a building) l'étage (*m*) *7*
  third floor le deuxième étage *7*
  ground floor le rez-de-chaussée *7*
food: canned foods les conserves (*f*) en boîtes *8*
foot le pied *6*
  on foot à pied *6*
for pour *3*
French français, -e *8*; le français *8*
  to study French faire du français *8*
french fries les pommes frites *6*
friend ami, -e (*m, f*) *2*
  friend (chum) le copain, la copine *3*
from de *2*
fruit le fruit *8*

G

girl la fille *1*
to give donner *5*

glad

glad content, -e *2*
glass le verre *18*
to go aller *6*
  to go down descendre *10*
  to go out sortir, sortir de *11*
good-bye au revoir *C*
great: that's great c'est formidable *5*
  green beans les haricots verts (*m*) *8*
guitar la guitare *8*
  to play the guitar faire de la guitare *8*

H

half demi, -e *G*
happy content, -e *2*
to have avoir *7*
he, it (*subj. pronoun*) il *1*
to hear entendre *10*
to help aider *9*
her elle (*stress pronoun*) *12* (*poss. pronoun*) son, sa, ses *9*
here is voici *10*
hi salut *A*
his (*poss. pronoun*) son, sa, ses *9*
hour l'heure (*f*) *G*
house: at the house of chez *8*
how comment *3*
how are you? ça va? *B*
how many, how much combien (de) *7*
hurry! vite! *10*

I

I (*subj. pronoun*) je *2*
to ice skate patiner *10*
  ice skating rink la patinoire *10*
in à *C*; dans *1*; en *4*
intelligent intelligent, -e *1*
interesting intéressant, -e *2*
island l'île (*f*) *5*
it: (*subj. pron.*) il, elle *1*
  it is (referring to weather) il fait... *5*
  it is ... o'clock il est... heure(s) *G*

is it est-ce *E*
  what is it qu'est-ce que c'est? *2*
its (*possessive pronoun*) son, sa, ses *9*

J

jazz le jazz *5*

K

kilo le kilo *8*

L

to land atterrir *9*
to learn apprendre *12*
  to learn how apprendre à *12*
to leave (something or someone) laisser *6*
to leave (depart) partir *11*
  to leave for (a place) partir à, partir pour *11*
  to leave from (a place) partir de *11*
less moins *10*
to like aimer *5*
line la ligne *9*
to listen to écouter *5*
to live (in a place) habiter (à) *5*
  loaf (of French bread) la baguette *8*
to look at regarder *5*
  look here! dis donc! *2*
to lose perdre *10*
  lot: a lot beaucoup *5*
lotion la lotion *12*
  suntan lotion la lotion solaire *12*
to love aimer *5*

M

magnificent magnifique *2*
to make, to do faire *8*
many beaucoup de *5*
market le marché *8*
marvelous merveilleux, -euse *5*
me (*stress pronoun*) moi *12*
meat la viande *8*
medium (steak) à point *6*
menu le menu *6*

merchant marchand, -e (*m, f*) 8; vendeur, -euse (*m, f*) 8

midnight minuit *G*

milk le lait 8

mineral minéral, -e, aux 8
  mineral water l'eau minérale (*f*) 8

minutes to . . . (with time) moins *G*

miss mademoiselle *A*

money l'argent (*m*) 8

more de plus 4

more . . . than plus... que 13

morning le matin *G*
  in the morning (A.M.) du matin *G*

mother la mère 7

mount le mont 10

mountain la montagne 10

Mr. monsieur *A*

Mrs. madame *A*

much beaucoup 5

my mon, ma, mes 9

N

nautical nautique 12

neat (cool) chouette 2
  that's neat c'est chouette 2

nice sympa, sympathique 2
  it is nice (weather) il fait beau 5

no non 2

no kidding sans blague 4

noon midi *G*

not ne (n')... pas 2

number le nombre *E*; le numéro 11

O

of de 2

okay d'ac, d'accord 2

on the contrary au contraire 3

one (they, people, we, you) on 9

one-way ticket l'aller (*m*) 11

only seul, -e; seulement 6

to order (ask for) commander 6

our notre, nos 9

P

paper: toilet paper le papier hygiénique 8

park le parc 10

party la fête 5
  informal party la surprise-partie 5

pass (boarding) la carte d'embarquement 9

passenger passager, -ère (*m, f*) 9

passport le passeport 9
  pastry chef pâtissier, -ère (*m, f*) 8

pastry shop; pastry la pâtisserie 8

photograph la photographie; la photo 8
  to go in for photography faire de la photographie 8

piano le piano 8

place la place 9

platform le quai 11

P.M. de l'après-midi; du soir *G*

pool la piscine 12

popular populaire 2

porter le porteur 9

pound la livre 8

to prepare préparer 5

Q

quarter le quart *G*

question: indicates a question est-e que (qu') 2

R

rare (meat) saignant, -e 6

to receive recevoir 20

record (album) le disque 5

to repair réparer 23

to reply (to) répondre (à) 10
  resort la station 12
    seaside resort la station balnéaire 12
    ski resort la station de ski 10
    winter resort la station de sports d'hiver 10

restaurant le restaurant 6

right: that's right c'est ça 2

rock le rocher 12

room la pièce 7
  waiting room la salle d'attente 11

round-trip ticket (le billet) aller et retour 11

S

sad triste 2

sailboard la planche à voile 12

saint's day la fête 5

salad la salade 5

sand le sable 12

sandwich le sandwich 5

school l'école (*f*) 1

sea la mer 5

seashore: at the seashore au bord de la mer 12

second deuxième 7
  second class deuxième classe 11

secondary school le lycée 1

security checkpoint le contrôle de sécurité 9

see you in a while à tout à l'heure *C*

to sell vendre 10

to serve servir 11

she (*subj. pronoun*) elle 1

to shine briller 5

shop: to do the daily food shopping faire les courses 8
  to go shopping faire des courses

to show montrer 9

sincere sincère 2

to sing chanter 5

sister la sœur 3

to ski, to go skiing faire du ski 10
  to water-ski faire du ski nautique 12
  ski boot la botte de ski 10
  ski instructor moniteur, monitrice (*m, f*) 10
  ski jacket l'anorak (*m*) 10
  ski lift ticket le ticket 10
  ski pole le bâton 10
  ski slope la piste 10

skier skieur, -euse (*m, f*) 10

sky le ciel 5

sleeping compartment (train) couchette 11

slowly lentement 21

small petit, -e 1

snorkeling la plongée sous-marine 12

to go snorkeling faire de la plongée sous-marine *12*

snow la neige *10*

to snow neiger *10*

snowball la boule de neige *10*

soap le savon *8*

solar solaire *12*

some . . . others les uns... les autres *12*

son le fils *7*

song la chanson *5*

soon bientôt *C*

  see you soon à bientôt *C*; à tout à l'heure *6*

so-so comme ci, comme ça *6*

to speak parler *5*

to spend (time) passer *9*

sport le sport *3*

  to go in for sports faire du sport *8*

station la station *10*

steak le steak *6*

store le magasin *8*

  department store le grand magasin *8*

strawberry la fraise *8*

strong fort, -e *3*

student l'élève (*m, f*) *1*

studio atelier (*m*) *7*

to study étudier, faire de *8*

suitcase la valise *9*

summer l'été (*m*) *5*

summit le sommet *10*

sun le soleil *5*

sunbath le bain de soleil *12*

to sunbathe prendre un bain de soleil *12*

suntan lotion la lotion solaire *12*

supermarket le supermarché *8*

swimming in the ocean le bain de mer *12*

to swim nager *12*

T

to take prendre *12*

tall grand, -e *1*

telephone le téléphone *5*

to telephone téléphoner *5*

television la télévision *5*

thank you merci *D*

that ça *2*

  isn't that so? n'est-ce pas? *2*

that is c'est *2*

that . . . there ce... -là *11*

the (*def. article*) l' (*m, f*); la (*f*); le (*m*) *1*; les (*pl*) *3*

their (*poss. pronoun*) leur (*m, f*); leurs (*pl*) *9*

them (*stress pronoun*) eux (*m*), elles (*f*) *12*

there: there is, there are il y a *7*

over there là-bas *D*

there it is voilà *A*

they (*subj. pronoun*) ils (*m pl*), elles (*f pl*) *3*

then alors *3*

this, that, these, those ce, cet, cette, ces *11*

  this . . . here ce... -ci *11*

ticket le billet *9*

  one way ticket l'aller (*m*) *11*

  round-trip ticket un (billet) aller et retour *11*

  ticket window le guichet *10*

time: at what time? à quelle heure? *G*

  what time is it? quelle heure est-il? *G*

timetable l'horaire (*m*) *11*

tip le pourboire *6*

to à *C*

today aujourd'hui *F*

town: into town en ville *6*

track la voie *11*

train le train *11*

  by train en train *11*

  train station la gare *11*

trip le voyage *9*

  have a good trip! bon voyage! *9*

  to take a trip faire un voyage *8*

tropical tropical, -e, -aux *5*

true vrai, -e *4*

  that's true c'est vrai *2*

TV la télé *5*

U

unbelievable incroyable *4*

to understand comprendre *12*

V

vegetable le légume *8*

very bien *8*; très *4*

W

to wait for attendre *10*

  waiting room la salle d'attente *11*

waiter le garçon *6*

to want désirer *5*

to watch out for faire attention (à) *8*

water l'eau (*f*) *8*

  mineral water l'eau minérale (*f*) *8*

wave la vague *12*

weak faible *3*

to wear porter *12*

weather le temps *5*

  it's . . . weather il fait... *5*

  what's the weather like? quel temps fait-il? *5*

well bien *B*

  well-done (meat) bien cuit *6*

what, which quel, quelle, quels, quelles *10*

what is the date? quelle est la date? *F*

what time is it? quelle heure est-il? *G*

what is the weather like? quel temps fait-il? *5*

what is it? qu'est-ce que c'est? *5*

who qui

  who is it? qui est-ce? *D*

why? pourquoi? *4*

  why not? pourquoi pas? *4*

wide grand, -e *1*

wind le vent *10*

  it is windy il fait du vent *10*

windsurfing: to go windsurfing faire de la planche à voile *12*

winter l'hiver (*m*) *10*

with avec *6*

Y

year l'an (*m*), l'année (*f*) *7*

yes oui *B*

you tu, vous (*subject pronoun*) *2, 4*; toi, vous (*stress pronoun*) *5, 12*

  and you? et toi? *B*

your ton, ta, tes *9*; votre, vos *9*

Index